KB081924

한 권으로 끝내는
크리에이티브 디자인

한권으로 끝내는 크리에이티브 디자인

발　행 | 2024년 3월 14일
저　자 | 김경란
펴낸이 | 한건희
펴낸곳 | 주식회사 부크크
출판사등록 | 2014.07.15.(제2014-16호)
주　소 | 서울특별시 금천구 가산디지털1로 119 SK트윈타워 A동 305호
전　화 | 1670-8316
이메일 | info@bookk.co.kr

ISBN | 979-11-410-7641-2

www.bookk.co.kr

한권으로 끝내는 크리에이티브 디자인

김경란 저자

First message (머리말)

처음 미용을 시작하는 순간부터 울산광역시 명장이 되기까지의 저의 기술 인생에 있어서 많은 미용인들과 함께 성장하는 선한 영향력을 실천하고자 하였습니다. 과거와 다르게 현재는 국내기능경기대회가 국제기능올림픽 트렌드에 맞추어 실제 살롱스타일을 추구하여 대회 과제 종목 중 크리에이티브가 사라졌지만, 오히려 기능경기대회에서 크리에이티브가 사라져서 실제 크리제작에 낯선 미용인들이 많아졌으리라 생각합니다.

하여 제가 직접 배우고 가르치기도 하였던 크리에이티브 제작 기술을 공유하고자 합니다. 본 교재에는 제작 스킬 뿐만 아니라 본인이 창작 디자인을 하고자 할때의 고려해야 할 요소와 디자인 영감 요소도 첨부하여 단순히 모방의 작품이 아닌 창작의 또다른 작품도 본 교재만 있다면 실현가능하다 생각합니다.

1장부터 6장까지의 세부적인 구상과 커트, 컬러링, 드라이, 스타일링의 도해도를 첨부하여 독자들의 이해를 높이고자 하였습니다. 크리에이티브의 대한 배움으로 함께 성장하는 미용산업을 꿈꾸며 머리말을 마칩니다..

2024년 3월

저자 CMC-KOREA (씨아테) 한국 회장 김경란

목 차

MEMO

CHAPTER 01

Ⅰ. 크리에이티브 기초이론 및 디자인 구상

Ⅰ. 크리에이티브 기초 이론 및 디자인 구상

1. 크리에이티브 (creative)의 개념

과거의 헤어 크리에이티브는 '대중적, 소비자'라는 의미의 컨슈머(consumer)의 단어로 통용되어 살롱(salon) 고객들을 위해 새롭게 창작되는 스타일을 뜻하며 현재와 미래에 유행될 개성적인 커트와 컬러, 드라이와 훵거웨이브를 이용한 세부적이고 유동성 있는 헤어디자인을 창작할 수 있다고 정의하였지만 2004년을 기점으로 크리에이티브로 명칭이 변경되었다.

2004년도 이후 현대의 크리에이티브 (creative)의 사전적인 의미는 '창조적인','창의적인'이라는 의미를 가진다. 헤어 크리에이티브는 헤어 아티스트들의 고도의 드라이 기술과 섬세한 빗질이 요구되며 예술적인 감각과 섬세한 기술의 감성이 필요한 창조적인 종목이다.

2. 헤어 크리에이티브 디자인 구상

헤어 디자인을 구상 할 때에는 디자인의 구성요소와 디자인 원리를 고려, 응용하여 구상해야하지만 헤어 크리에이티브의 디자인 구상은 보편적으로 하나의 점이 선으로 연결되고 선이 면에서 연결되듯이 여러 가지 자연 생물의 형상으로 조화롭게 구성되기도 한다. 산이나 바다 혹은 난초 등 다양한 형상을 모티브로 삼아 모티브의 전반적 특성과 형태, 방향, 질감, 칼라 등의 디자인의 구성요소와 통합, 균형, 조화, 강조의 디자인 원리를 함께 적용하여 디자인을 해야 조화미가 살아난다.

디자인 구상 시 다양한 모티브에 따라 무한한 디자인을 창작 가능하다. 특히 디자인의 실체에는 직선 또는 곡선으로 닫히거나 서로 연결된 C, S, J라인과 방향의 흐름 및 윤곽선이 있다. 이는 크게 직선과 곡선의 2가지로 분류할 수 있는데, 선의 특징을 큰 범위로 직선과 곡선의 2종류로 분류할 수 있다.
일반적인 선은 보는 사람의 시각에 따라 다양한 반응이 가능하기 때문에 다양한 방향으로 해석하기도 한다. 일반적으로 직선은 엄격함과 보수적인 면이 대두되고, 곡선은 율동, 유연하고 여성적인 우아함이 드러난다. 자유 곡선의 한 종류인 S커브는 더한 율동적, 섬세함, 유연한, 여성적인 면의 아름다움, C커브는 화려하고 고급스러움을 내포한 온화함, 우아한 심리적 시선을 이끌어 내는 역할을 한다. 이러한 선의 역할은 전체적인 폼(형태선)을 표현하기도 하고 다른 특징들을 강조하거나 숨길 수 있고, 넓어 보이거나 더 좁게 보이도록 착시현상을 표현할 수도 있다.

직선과 곡선 뿐만 아니라 모양과 방향의 특성 또한 헤어 크리에이티브의 디자인 구상에서 필수적으로 필요한 요소이다. 대표적인 모양과 방향으로는 원, 타원, 오블롱, 직사각형, 정사각형, 사다리형, 삼각형, 다이아몬드, 헥사곤 오블레이트, 프롤레이트, 스피어로이드, 평형 분배, 방사 분배, 블렌딩, 모아주기, 나누기 등이 있다. 각각의 특징은 아래 제시한 <표1>과 같다. 앞서 제시한 디자인의 모양과 방향의 특성들을 숙지하고 잘 활용한다면 헤어 크리에이티브의 창의적이고 대중적인 디자인 구상에 용이하다.

또한 앞서 제시한 이들을 바탕으로 헤어크리에이티브 스타일 디자인 구상 및 몰딩 작업을 할 때는 여러 가지 종류의 선의 느낌과 선이 주는 분위기, 그리고 선의 고유한 특성이 헤어크리에이티브 스타일에서 입체적으로 보여지게 조화로운 구성을 설계해야 하는 점이 가장 중요하다. 따라서 두상 흐름의 형태를 분석하는 가장 기본적인 구성요소인 천체축에 기준하여 헤어크리에이티브 스타일의 디자인 흐름은 직선이나 곡선 등의 컬의 형태로 표현된다. 하나의 선은 길이나 넓이, 방향에 따라 작품에 다양한 변화와 영향을 준다

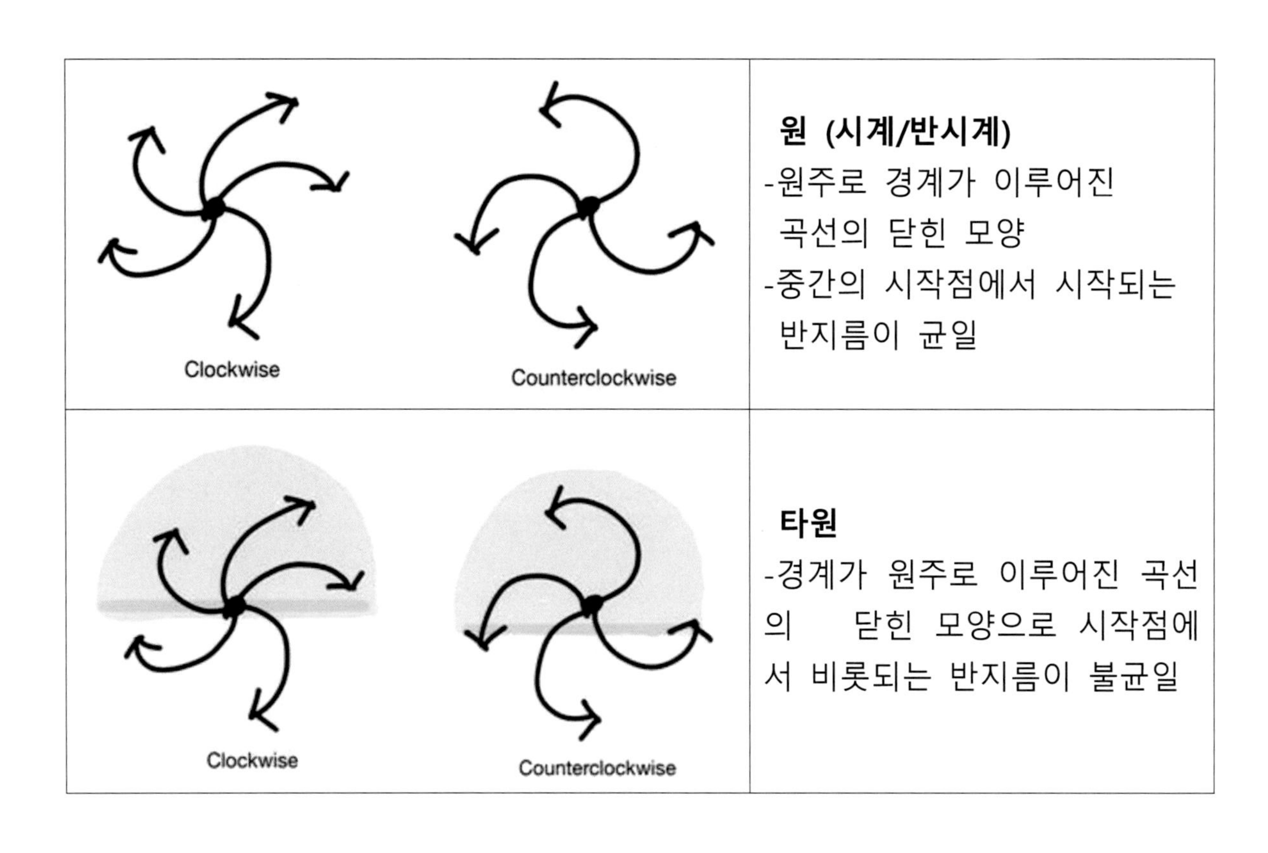

Clockwise / Counterclockwise	**원 (시계/반시계)** -원주로 경계가 이루어진 곡선의 닫힌 모양 -중간의 시작점에서 시작되는 반지름이 균일
Clockwise / Counterclockwise	**타원** -경계가 원주로 이루어진 곡선의 닫힌 모양으로 시작점에서 비롯되는 반지름이 불균일

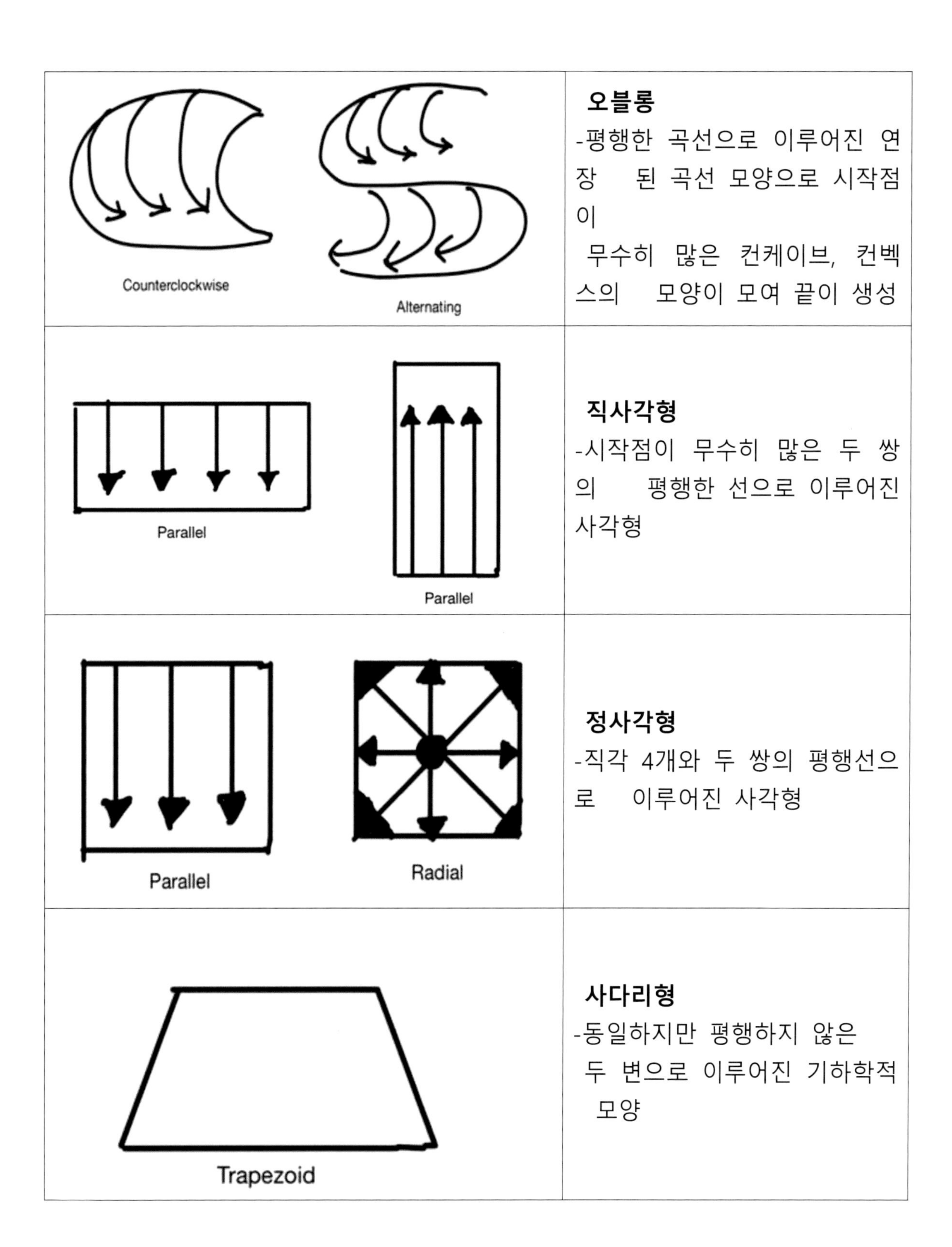

Counterclockwise / Alternating	**오블롱** -평행한 곡선으로 이루어진 연장 된 곡선 모양으로 시작점이 무수히 많은 컨케이브, 컨벡스의 모양이 모여 끝이 생성
Parallel / Parallel	**직사각형** -시작점이 무수히 많은 두 쌍의 평행한 선으로 이루어진 사각형
Parallel / Radial	**정사각형** -직각 4개와 두 쌍의 평행선으로 이루어진 사각형
Trapezoid	**사다리형** -동일하지만 평행하지 않은 두 변으로 이루어진 기하학적 모양

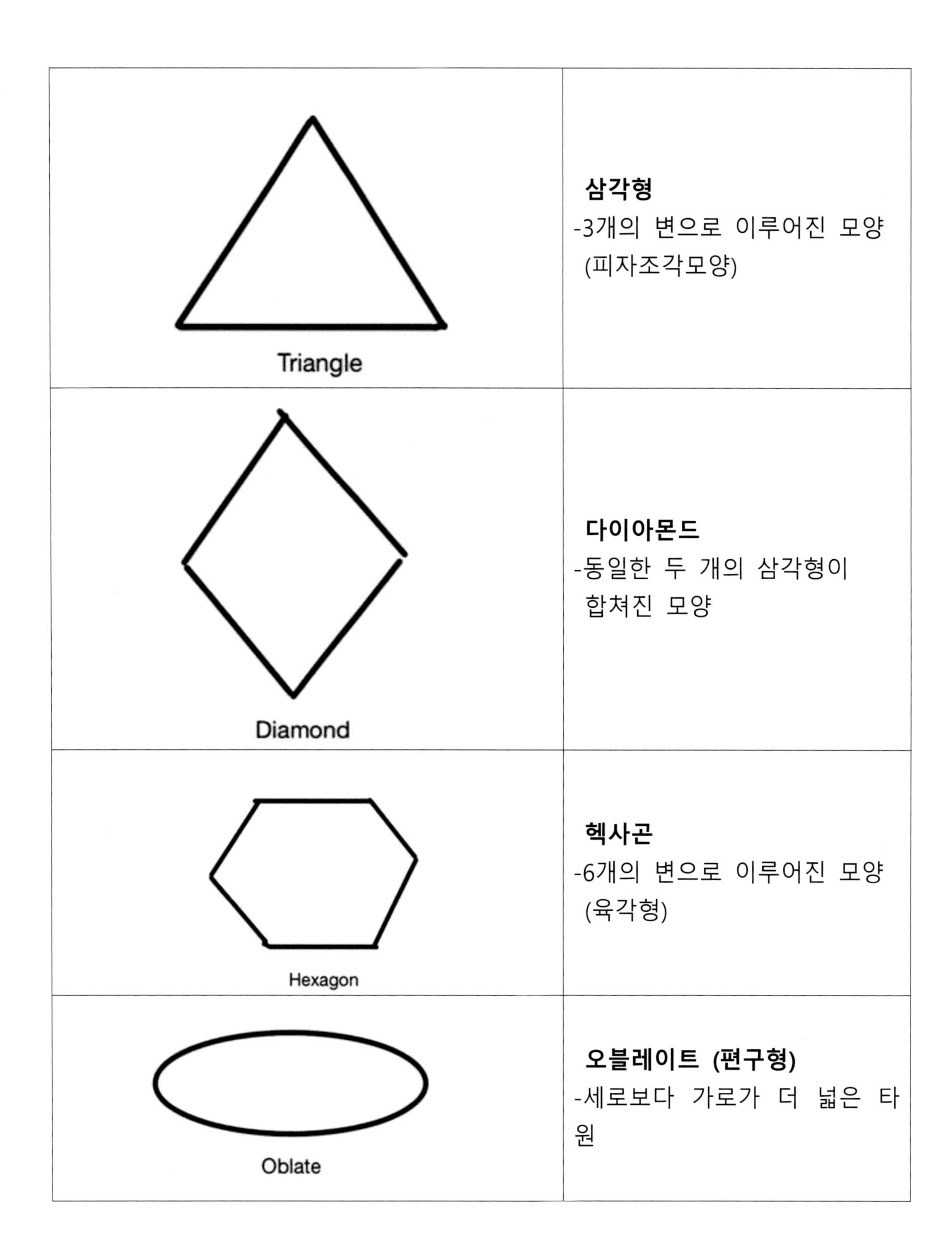

Triangle	**삼각형** -3개의 변으로 이루어진 모양 (피자조각모양)
Diamond	**다이아몬드** -동일한 두 개의 삼각형이 합쳐진 모양
Hexagon	**헥사곤** -6개의 변으로 이루어진 모양 (육각형)
Oblate	**오블레이트 (편구형)** -세로보다 가로가 더 넓은 타원

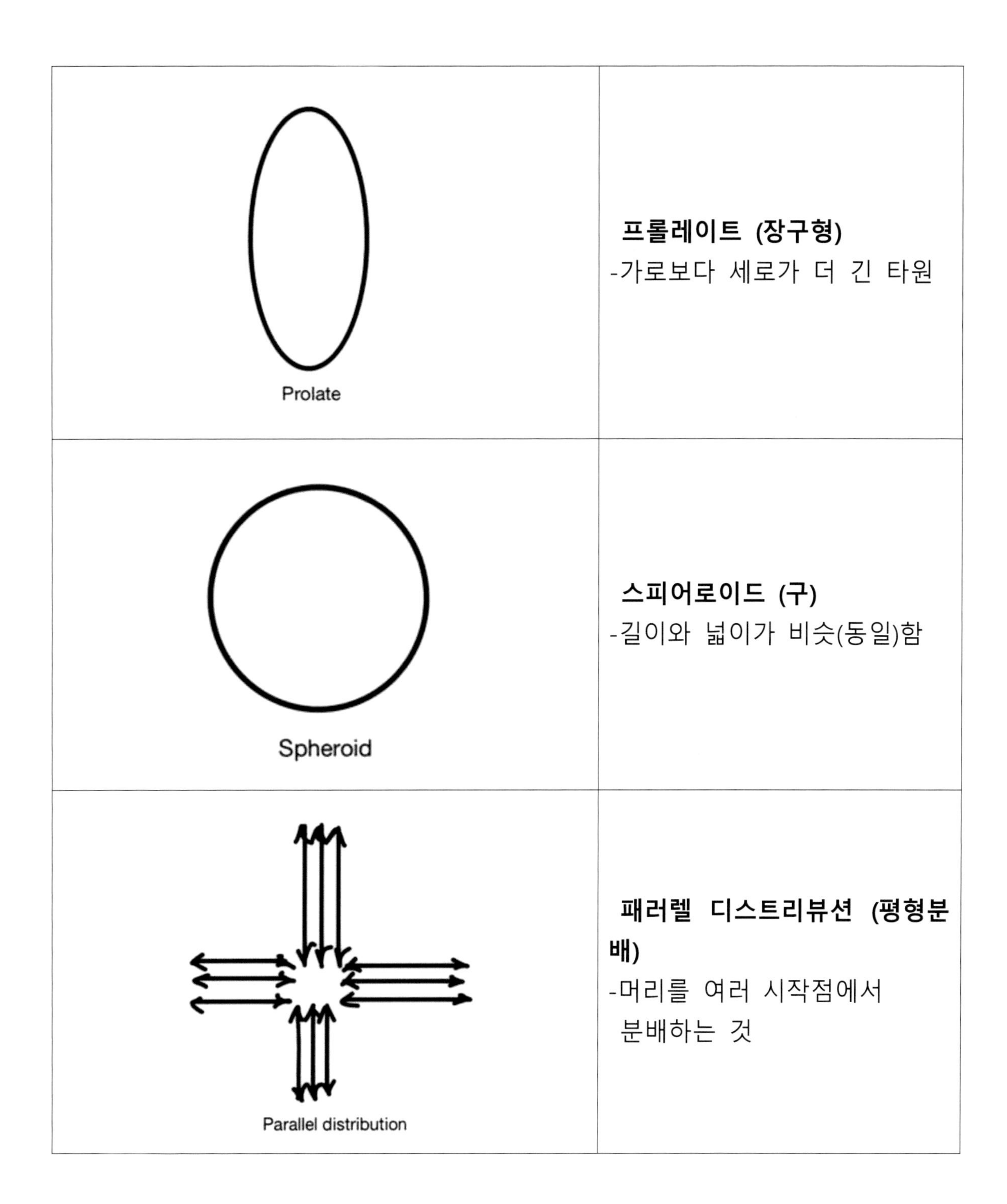

Prolate	**프롤레이트 (장구형)** -가로보다 세로가 더 긴 타원
Spheroid	**스피어로이드 (구)** -길이와 넓이가 비슷(동일)함
Parallel distribution	**패러렐 디스트리뷰션 (평형분배)** -머리를 여러 시작점에서 분배하는 것

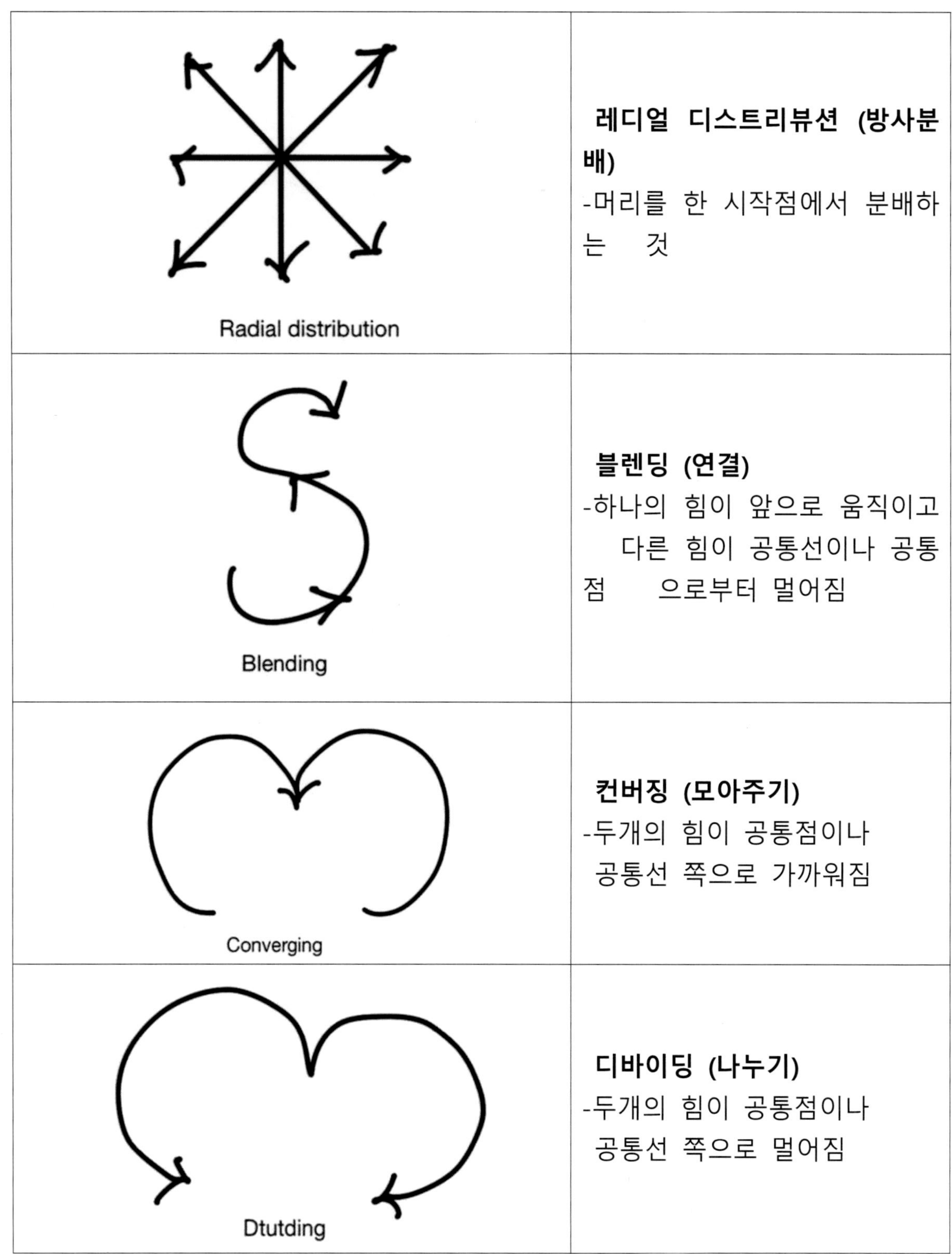

Radial distribution	**레디얼 디스트리뷰션 (방사분배)** -머리를 한 시작점에서 분배하는 것
Blending	**블렌딩 (연결)** -하나의 힘이 앞으로 움직이고 다른 힘이 공통선이나 공통점 으로부터 멀어짐
Converging	**컨버징 (모아주기)** -두개의 힘이 공통점이나 공통선 쪽으로 가까워짐
Dtutding	**디바이딩 (나누기)** -두개의 힘이 공통점이나 공통선 쪽으로 멀어짐

<표 1> 디자인 모양과 방향의 특성

2-1. 디자인의 구성요소

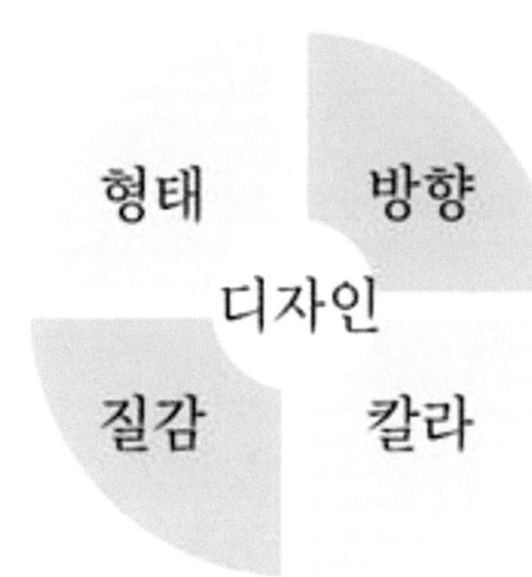

<그림 1> 디자인의 구성요소

(1) 형태 (Form)

헤어디자인의 전체적인 모양을 나타내는 형태는 작품의 윤곽선을 통해 결정된다. 형태는 평면과 입체 형태 둘로 나뉜다. 쉽게 말해 형태는 작품의 외관이자 전체적인 형태선의 흐름이다.

(2) 방향 (Direction)

방향은 형태와 밀접한 관련이 있으며 형태의 방향은 디자인의 모양이나 볼륨위치에 의해 정해진다. 천체축을 통해 형태의 방향을 구성, 분석하는데 도움을 준다. 디자인의 머리 방향의 작품의 움직임을 결정지으며 디자인의 역동성에 중요한 요인으로 작용한다.

(3) 질감 (Texture)

질감은 크게 커트에서 결정지어지는데 매끈한 질감인 언 액티베이트 질감 과 거친 질감인 액티베이트 질감으로 나뉘어 구분한다. 결국 질감은 커트의 정도와 컬의 정도와 밀접한 관련이 있다.

(4) 칼라 (Color)

칼라는 질감과 작품의 깊이감 및 면적에 착시를 일으키는 디자인 요소이다. 대비 및 색상의 혼합을 통해 시선을 끌어줌으로써 작품의 흐름성을 결정시키기도 한다.

2-2. 헤어 크리에이티브 디자인 작업

크리에이티브의 작업과정은 다음 <모형1>과 같다.
첫 번째 디자인 구상을 통한 작업에서 커트와 베이스, 컬러디자인의 헤어디자인 구성요소를 고려하여 설계 후 두 번째, 헤어커트에 들어간다.

헤어커트를 완료하면 베이스의 원활한 흐름을 위해 세 번째 단계인 베이스 숨죽이기 작업에 들어가고 전체적인 드라이 구도에 동일하게 베이스 흐름을 잡아준다.

베이스 흐름을 잡았다면 전체적인 컬러링 디자인을 네 번째로 작업한다. 구상하였던 컬러 위치와 컬러 색감에 맞게 섬세한 작업을 이어나간다.

컬러 작업 후 샴푸를 하였으면 다섯 번째 작업인 드라이 작업에 들어간다. 이는 '몰딩'과도 같은 의미를 가지는 작업이다.

마지막 여섯 번째로는 스타일링 작업으로 크리에이티브에서 핵심적인 표현기법 중의 하나인 매쉬 기법도 스타일링 작업에서 표현한다. 또한 작업과정은 작업자의 디자인 의도에 따라 순서를 자유롭게 바꿀 수도 있다.

디자인 구상

- 커트, 베이스, 컬러, 전체적인 디자인을 헤어디자인 구성요소를 고려하여 설계

헤어 커트

- 디자인에 적합한 커트 도구 선정
- 형태, 방향, 질감을 고려한 헤어 커트

베이스 흐름 잡기

- 드라이 구도와 동일하게 베이스 숨 죽이기

디자인 컬러링

- 구상한 컬러 위치와 컬러 색감을 고려하여 컬러링

드라이

- 드라이(몰딩) 작업
-양면브러쉬를 이용하여 전체적인 흐름 연출

스타일링

- 전체적인 스타일링(매쉬) 작업, 크리에이티브 핵심 표현기법 포함

<표 2> 크리에이티브 작업과정

CHAPTER 02

Ⅱ. 크리에이티브 제작 준비

1. 필요재료의 종류

2. 헤어 도구의 종류

3. 헤어 제품의 종류

Ⅱ. 크리에이티브 제작 준비- 1.필요 재료의 종류

크리에이티브의 필요 재료의 구분은 크게 헤어 도구와 헤어 제품으로 나뉠 수 있다. 헤어 도구는 스타일 제작을 위해 능률적인 도구가 필요하기에 아무리 뛰어난 기술을 가지고 있어도 크게 커트, 컬러, 드라이, 몰딩의 단계에 적합한 도구가 없다면 완성도가 높은 디자인을 완성하기 어렵기 때문에 도구 사용 및 목적에 대한 이해도가 필요하다. 헤어 제품은 디자인 최종 완성을 위한 제품의 종류이다. 다양한 목적에 따라 다양한 제품이 필요하므로, 사용 방법과 목적, 제품 종류를 숙지하고 있음이 중요하다.

커트와 컬러 드라이 및 스타일링의 접근이 모두 이루어지는 크리에이티브 스타일 디자인을 제작하기 위해서는 이상과 같은 복합적인 조건들을 갖추어 있을 때 이루어 진다. 설계한 디자인을 완성하려고 할 때 제작에 필수적으로 필요한 재료 및 도구들이 준비가 되어있지 않거나 사용 방법 및 특성을 숙지하지 않을 경우 디자인을 자유롭게 완성하는 단계가 어려워져 디자인 과정을 지배하게 되므로 반드시 필요한 재료 및 재료의 특성을 파악하는 것이 중요하다.

각각의 작업과정에 따른 재료를 분류할 수 있는데 커트 도구에서는 헤어스타일에서의 커트는 기술적인 부분을 시도할 때 여러 가지 도구에 의존하게 된다. 실제 커트 디자인과 형태선을 만들어 내는 것은 기법과 도구의 하모니라고 이야기 할수 있다. 기법과 목적에 맞는 올바른 도구를 선택하는 것은 디자인을 결정하고 형성하는 과정에서의 형태선과 전체적인 아웃라인, 모발질감에 많은 변화를 나타낼 수 있으므로 고려하여 선택 및 숙지하도록 한다.

염모제 및 스타일링에서의 제품 선택인 헤어 제품의 종류는 목적에 따라 정말 다양하다. 디자인을 완성하기 위해서는 좋은 재료의 선택 또한 무엇보다 중요하다. 헤어 크리에이티브 작업과정 특성상 특히, 컬러링 과정에서의 염모제를 비롯하여 도구나 재료의 선택이 결과물에 영향을 미치는 중요한 요인이다.

헤어 크리에이티브 스타일의 작품 효과를 최대화 시키기 위해서는 모델 및 마네킨의 조건이 충족되어야 한다. 이러한 조건은 시술자와 연구자가 가설을 설정하며, 표현하고자 하는 컬러 및 형태선을 고려하여 모질 및 마네킨의 두상 등을 선정 하도로 한다.

2. 헤어 도구(재료)의 종류

헤어 도구(재료)의 종류는 크게 커트, 컬러, 드라이 작업과정에서의 공통재료와 비공통 재료로 나눌 수 있다. 공통 재료는 대표적으로 마네킨을 예로 들 수 있다.

커트	스펀지, 블런트 가위, 틴닝 가위, 레져, 커트 빗, 커트 핀셋, 분무기 등
컬러	염색볼, 염색 브러쉬, 장갑, 물티슈, 수건, 보호크림, 호일, 드라이기, 페이스캡, 저울
드라이 (스타일링)	양면 브러쉬, 꼬리빗, 롤 브러쉬, 스타일링 핀셋, 대바늘, 열 드라이기, 아이론

<표 3> 작업 과정별 헤어 도구의 종류

커트 과정에서는 가위와 레져를 대표적인 헤어 도구로 들 수 있고 각 도구의 선택이 중요하고 마찬가지로 스타일링 시 사용하는 헤어 아이론의 선택또한 중요한데 각각의 도구에 따른 분류와 선택법은 아래와 같다.

● 가위

1) 재질에 따른 분류

재질에 따른 가위의 분류는 착강 가위와 전각 가위의 두가지 종류가 있다. 착강 가위는 협신부는 연철, 날은 특수강으로 제작된 가위이고 전강 가윈은 전체가 특수강으로 제작된 가위를 뜻한다.

2) 사용 목적에 따른 분류

사용 목적에 따른 분류는 커팅 가위(Cutting scissors)와, 틴닝 가위(Thinning scissors)가 있다. 커팅 가위는 두발의 세이핑과 커트를 하는데 사용되며 틴닝가위는 두발의 길이를 자르지 않고 모량이 많은 모발을 테이퍼링하는데 사용되는 목적을 가지고 있다.

3) 기타 가위 종류

기타 가위의 종류는 미니가위(Mini scissors)와 R 가위(R-scissors), 빗 겸용 가위가 있다. 미니 가위는 정밀한 블런트 커팅에 이용하는 가위로 4~5.5 inch의 범위에 속한다. R 가위는 협신부가 R자 모양으로 휘어진 가위를 뜻하며 빗 겸용 가위는 빗이 가위의 날 등에 부착되어 있는 가위이다.

4) 가위 선택 시 고려사항

올바른 가위 선택 시 고려해야 할 사항으로는 크게 3가지가 있는데 첫 번째 양날 견고함이 동일하게 이루어져 있어야 하며 두 번째 날이 얇고 양 다리가 강한 것이 좋다. 마지막 세 번째로는 협신이 날 끝으로 갈수록 자연스럽게 아주 약간 내측을 향해서 휘어져 있는 것을 고려해야 한다.

● 레져

1) 레져의 종류

레져	일상용 레저	세이핑 레저
특 징	칼날 전체를 사용하는 레저	일상용 레저에 보호 기구가 착용된 레저 (틴닝가위와 유사한 구조)
장 점	빠른 완성이 가능해 능률적이고 섬세한 작업에 이용	초보자가 사용하기에 용이
단 점	한번에 많은 모량이 커팅되므로 초보자에게 부적합	시간의 소모량이 많이 능률적이지 않음

<표 4> 레져의 종류 및 특성

2) 올바른 레져 선택법

올바른 레져 선택법은 레저의 양면의 콘케이브가 날등부터 날의 끝까지 곡선으로 되어있고 날의 두께가 일정한 것을 선택하며 날 등과 날 끝이 평행하고 비틀리지 않은 레저를 선택해야 한다.

● 헤어 아이론 (Hair iron)

1) 올바른 헤어 아이론의 선택 및 사용법

올바른 헤어 아이론의 선택 및 사용법은 가열식 아이론의 경우 모발에 맞는 적정한 온도를 지키며 과열 되었을 경우 한쪽 핸들을 쥐고 돌려서 식혀야 하며 이러한 체크를 위해 온도를 체크하도록 한다. 온도 체크 방법은 여러 가지가 있지만 종이를 판넬의 양 면이 맞닿도록 끼웠을 때 연기가 나지 않아야 하며 온도 설정 후 프롱이 위를 향하게 쥐어준다. 프롱이 위를 향하게 잡은 후 아이론 시술 시 회적각도는 원하는 컬링감의 느낌에 따라서 적정 각도를 사용해야 하며 각각의 용도에 맞게 가열식 아이론은 사용 후 사포로 문지르고 기름칠을 하여 녹이 슬지 않도록 보관해야 하며 가장 보편적으로 쓰이는 전기 아이론은 사용 후 선이 꺾이지 않도록 보관해야 한다.

MEMO

Ⅱ. 크리에이티브 제작 준비- 2. 헤어도구의 종류

(1) 커트 도구

스펀지, 블런트 가위, 틴닝 가위, 레져, 커트 빗, 커트 핀셋, 분무기

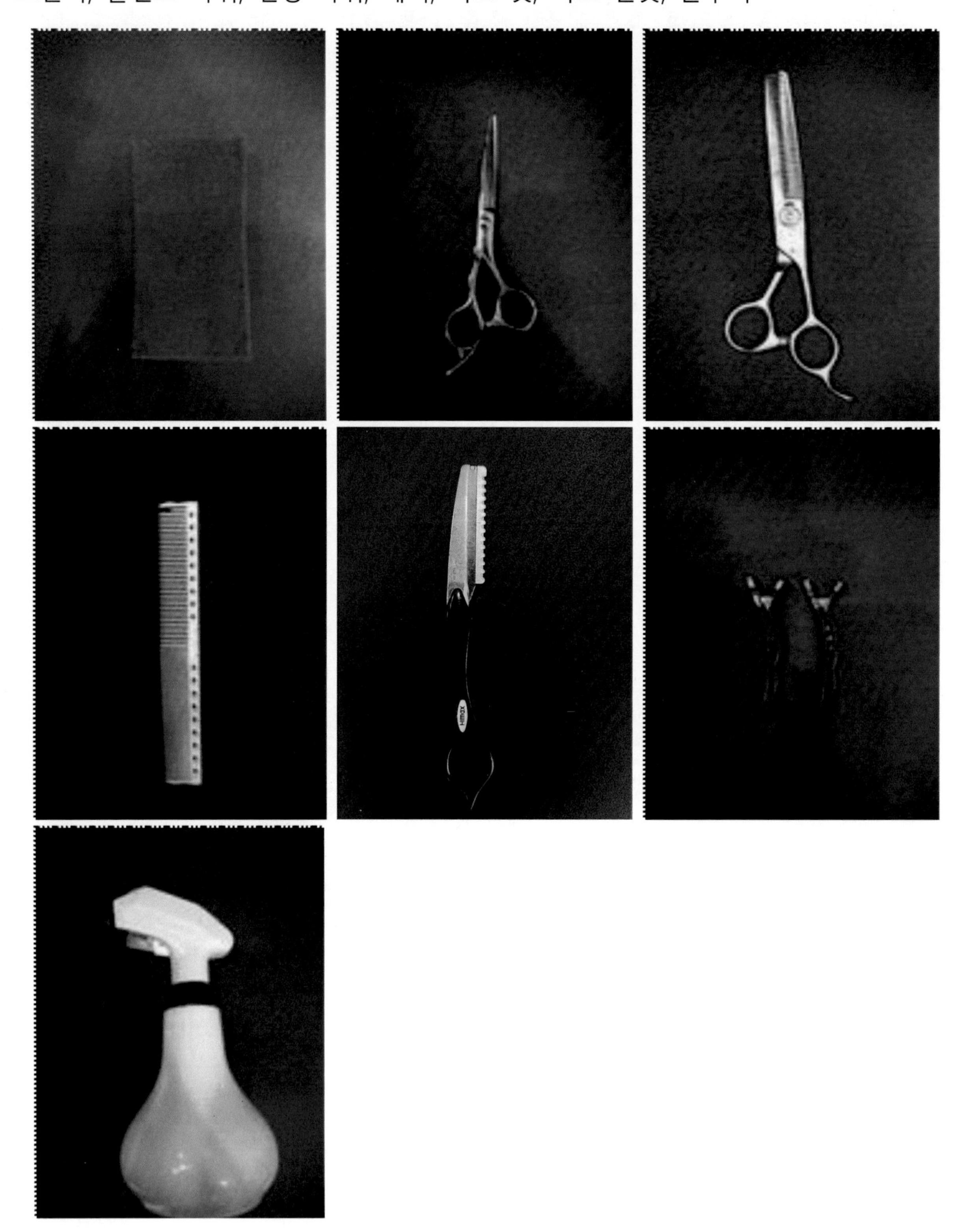

(2) 컬러 도구

염색볼, 염색 브러쉬, 장갑, 물티슈, 수건, 보호크림, 호일, 드라이기, 페이스캡, 저울

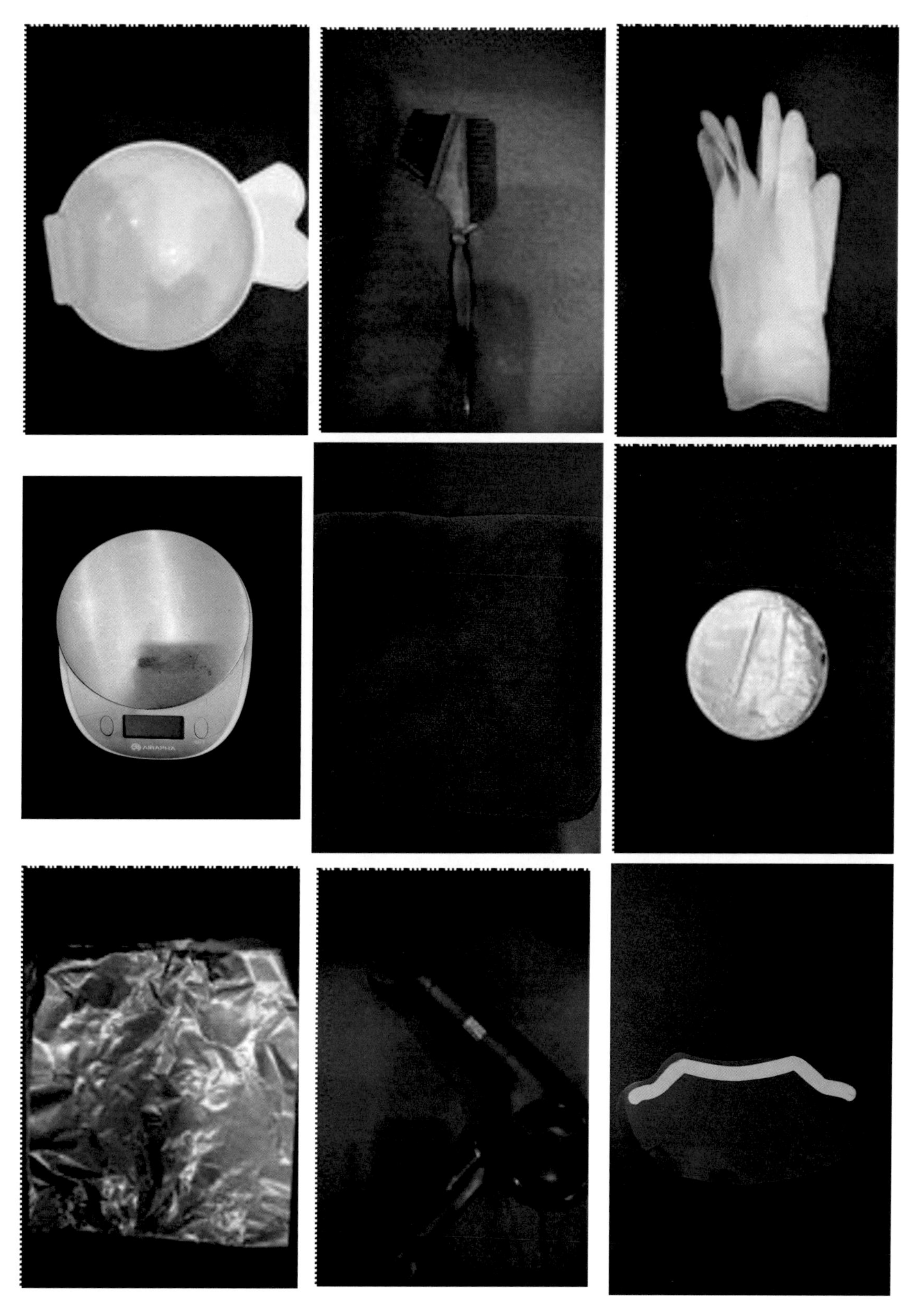

(3) 드라이 도구

양면 브러쉬, 꼬리빗, 롤 브러쉬, 스타일링 핀셋, 대바늘, 열 드라이기, 아이론

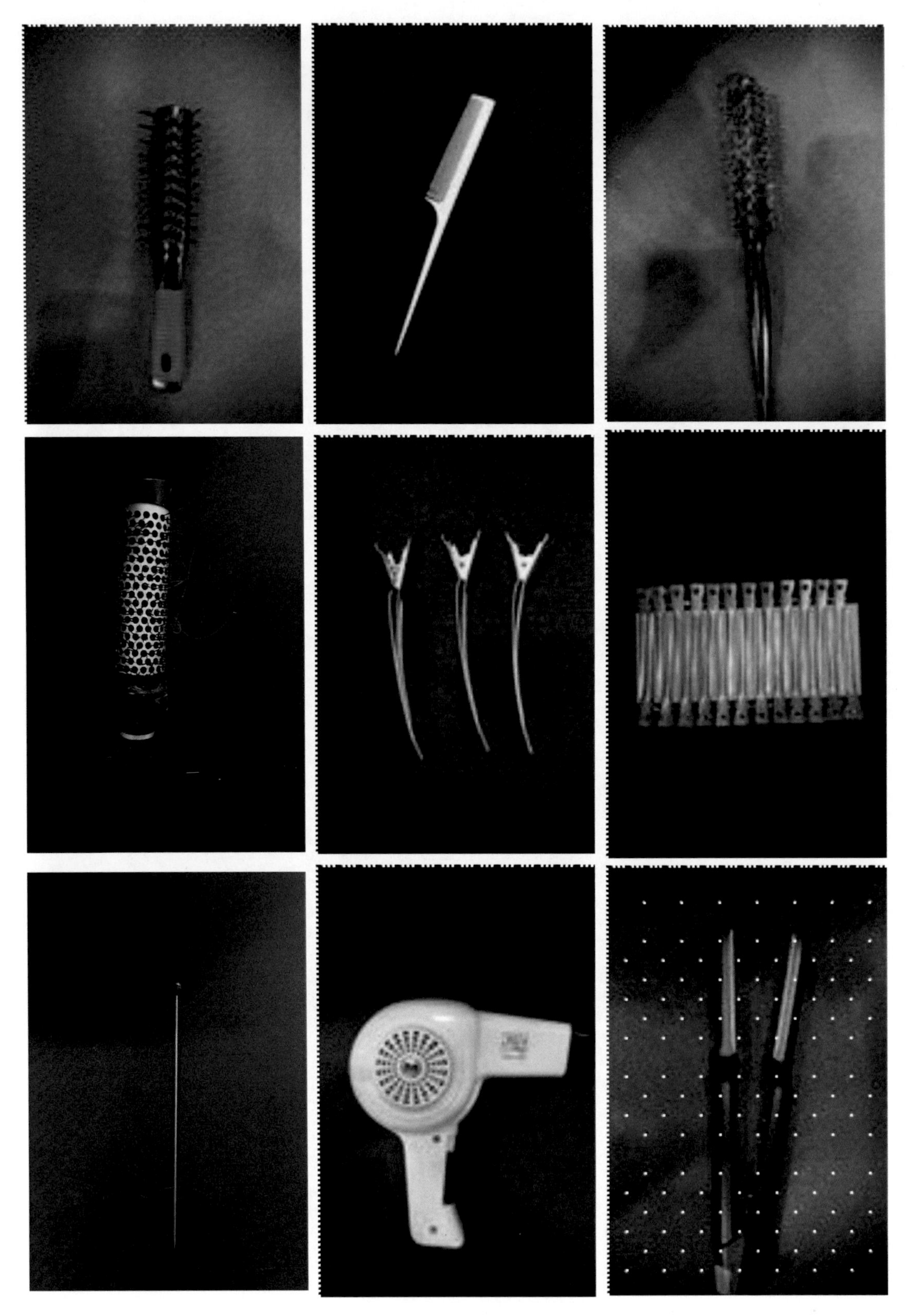

Ⅱ. 크리에이티브 제작 준비- 3.헤어제품의 종류

(1) 컬러 제품

염색약, 컬러리무버, 샴푸, 린스

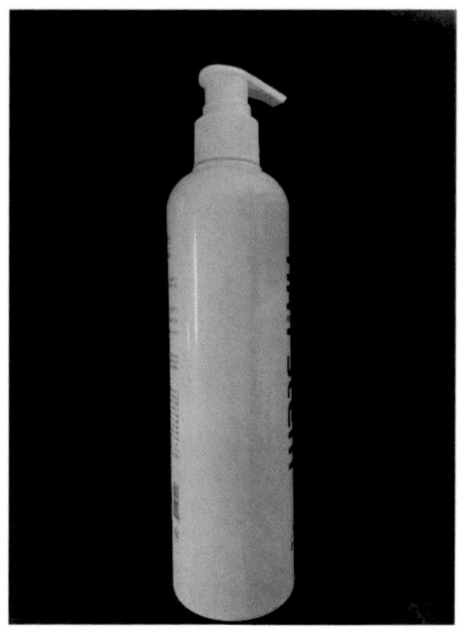

(2) 드라이 및 스타일링 제품 & 의상제작 재료,제품

고정 스프레이, 광택 스프레이, 왁스, 메이크업 재료 및 의상 총 재료 및 제품

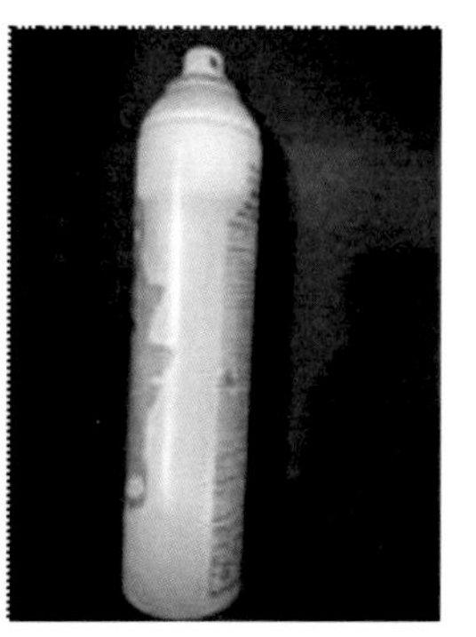

CHAPTER 03

Ⅲ. 크리에이티브 제작

1. 커트 기본 이론

2. 크리에이티브 커트 도해도 풀이

1-1. 블로킹 도해도 풀이

1-2. 커트 도해도 풀이

3. 크리에이티브 커트 작업과정

Ⅲ. 크리에이티브 제작 –1. 커트 기본 이론

1. 커트 기본 이론

헤어스타일의 개념과 디자인의 완성에서 가장 기본이 되는 커트는 모량의 양과 길이조정을 설계된 흐름에 맞춰 진행한 후 스타일을 완성하는 기초 작업이다. 따라서 헤어디자인 완성을 위한 창조적이고 전문성있는 지식이 필요하다. 크리에이티브한 디자이너의 커트 설계는 단순히 잘려나가는 모발 커트가 아니고 디자인에 따른 정확한 길이 가이드와 테이퍼링의 설계가 가장 중요하다.

● 헤어커트의 종류

헤어커트의 종류는 크게 웨트커트, 드라이커트, 프레커트, 애프터 커트 등으로 구분한다. 각 커트 방법의 특징은 <표 1>과 같다. 헤어커트의 방법은 여러가지가 있지만 본 연구자의 헤어커트 과정에서는 웨트 커트 기법을 사용할 것이고, 컬러링까지 마무리 후 드라이 및 스타일링 작업 시에 드라이 커트와 애프터 커트기법을 사용한다. 작업자의 편의에 따라 커트 방법은 변형 가능하다.

웨트(wet) 커트	모발에 수분을 적셔 행하는 커트 방식, 헤어스타일 연출에 적합
드라이(dry) 커트	헤어스타일 수정에 적합하며 손상된 모발 정리에 효과적
프레(pre) 커트	작품의 시술 사전에 우선해서 선행하는 커트 방법
애프터(after)커트	작품을 완성한 후 행하는 커트 방법, 시술 후 수정 보완 작업

<표 5> 헤어커트의 4가지 방법

● 헤어 커팅의 방법

헤어 커팅의 방법으로는 크게 블런트 커팅(Blunt cutting), 테이퍼링 커팅(Tepering cutting), 스트로크 커트(Stroke cut), 틴닝(Thinning), 슬리더링(Slithering), 트리밍(Trimming), 클리핑(Clipping), 싱글링(Shingling) 등으로 나눌 수 있다.

1) 블런트 커팅

블런트 커팅의 종류는 원랭스, 스퀘어, 레이어 커트가 있다.

블런트 커팅의 종류	특징
원랭스 커트 (One-length cut)	-동일선상으로 두발을 맞춰 일직선의 아웃라인이 드러나는 커트 -커트라인에 따라 페러렐, 스파니엘, 이사도라 스타일이 존재 -두발이 자연스럽게 떨어지는 위치에서 커트하며 두피에 두발을 붙여 선과 선의 연결을 정확히 커트
스퀘어 커트 (Square cut)	-사각형의 느낌이 나도록 자르거나 천체축 기준의 자연각 90도의 각도로 모발을 들어서 커트
그라데이션 커트 (Gradation cut)	-네이프부터 크라운으로 갈수록 모발의 기장이 길어지는 커트 -일반적으로 45도를 기준으로 하며 두발에 작은 단차가 생기는 커트
레이어 커트(Layer cut)	-두상각 90도 이상이 되도록 구성한 커트 스타일 -두발의 층의 단차가 많은 커트를 뜻함

<표 6> 블런트 커팅의 종류

2) 테이퍼링

테이퍼링은 페더링(feathering) 이라고도 한다. 레져나 가위날을 이용하여 자연스럽게 장단을 만들어 두발의 양을 쳐내서 두발 끝으로 갈수록 붓끝처럼 가늘게 되는 커트 테크닉으로 테이퍼링의 종류는 앤드 테이퍼(End taper), 노멀 테이퍼(Normal taper), 딥 테이퍼(Deer taper)가 있다.

테이퍼링의 종류	특징
앤드 테이퍼 (End taper)	-스트랜드의 1/3 이내의 모발 끝을 테이퍼하고 모발의 양이 적을 때 사용함
노멀 테이퍼 (Normal taper)	-스트랜드의 1/2 지점을 넓게 테이퍼하며 모발을 많이 쳐내므로 모발의 양이 보통일 때 사용함
딥 테이퍼 (Deer taper)	-스트랜드의 2/3 지점에서 모발을 많이 쳐내며 모발의 양이 많을 시 사용함

<표 7> 테이퍼링의 종류

3) 스트로크 커트

스트로크 커트는 가위에 의한 테이퍼링과 가위의 모발 기준 각도에 따라 나뉜다.

스트로크 커트의 종류	특징
쇼트 스트로크 (Shot stroke)	-가위 각도가 약 0°~10° -커트하는 스트랜드의 길이가 짧으며 모발의 모량도 적음
미디움 스트로크 (Medium stroke)	-가위 각도는 약 10°~45°
롱 스트로크 (Long stroke)	-가위 각도 약 45°~90° -커트하는 모발의 모량이 많음

표 8> 스트로크 커트의 종류

(4) 틴닝(Thinning)

모발의 길이는 그대로 유지하며 틴닝가위로 전체적으로 모발의 모량을 커트

(5) 슬리더링(Slithering)

커트용 가위로 모발을 틴닝하는 방법

(6) 트리밍(Trimming)

완성된 커트 아웃라인을 마무리 시, 손상모 등 불필요한 두발 끝을 제거하기 위한 커트방법

(7) 클리핑(Clipping)

클리퍼나 가위로 튀어나오거나 빠져 나온 모발의 요철제거를 하는 방법

(8) 싱글링(Shingling)

빗 위로 가위를 대고 아주 짧게 커트하면서 위로 올라갈수록 모발의 기장이 길어지는 방법

● 레져 커트 (Lazor cut)

동양인의 모발은 대부분 직모이고 모질이 두꺼우므로 헤어스타일의 매트하고 딱딱한 느낌을 커버하기 의해 레져커트 기법을 사용하기도 한다. 레져커트 기법은 샤기한 질감을 얻을 수 있어 부드럽고 자연스러운 모발의 흐름을 얻을 수 있는 질감 표현을 커트할 수 있는 중요한 도구이다.

1) 레져 커트의 특징

레져 커트의 특징은 100% 젖은 모발에 시술하는 것이 필수이며 모발의 량, 머리숱과 흐름에 대한 상태 파악등의 섬세한 분석이 필요한 커트이다. 레져 커트는 모발을 테이퍼링 함에 따라서 모발의 겹침에 변화가 toddru 부드럽고 가벼운 질감이 되며 가벼운 움직임과 샤기한 질감의 커트 흐름을 연출 할 수 있다. 때문에 디자인상 불필요한 모발량을 제거하는것과 커트에 대해서 능률적인 커트이다.

2) 레져 커트 시 주의점

레져커트 시 과도하게 모발이 커트되는 위험성이 있으며 수분의 정도가 부족하고나 모발의 텐션을 과하게 잡으면 모표피가 손상되기 쉬우므로 주의해야 한다. 또한 레져의 사용 각도에 따라서 질감 및 길이의 차이가 있으며 초보자에게는 기술적인 난이도가 다르므로 레져 커트에 대한 베이직과 테크닉을 익숙하게 연습한 후 안정감있는 커트를 진행해야 한다.

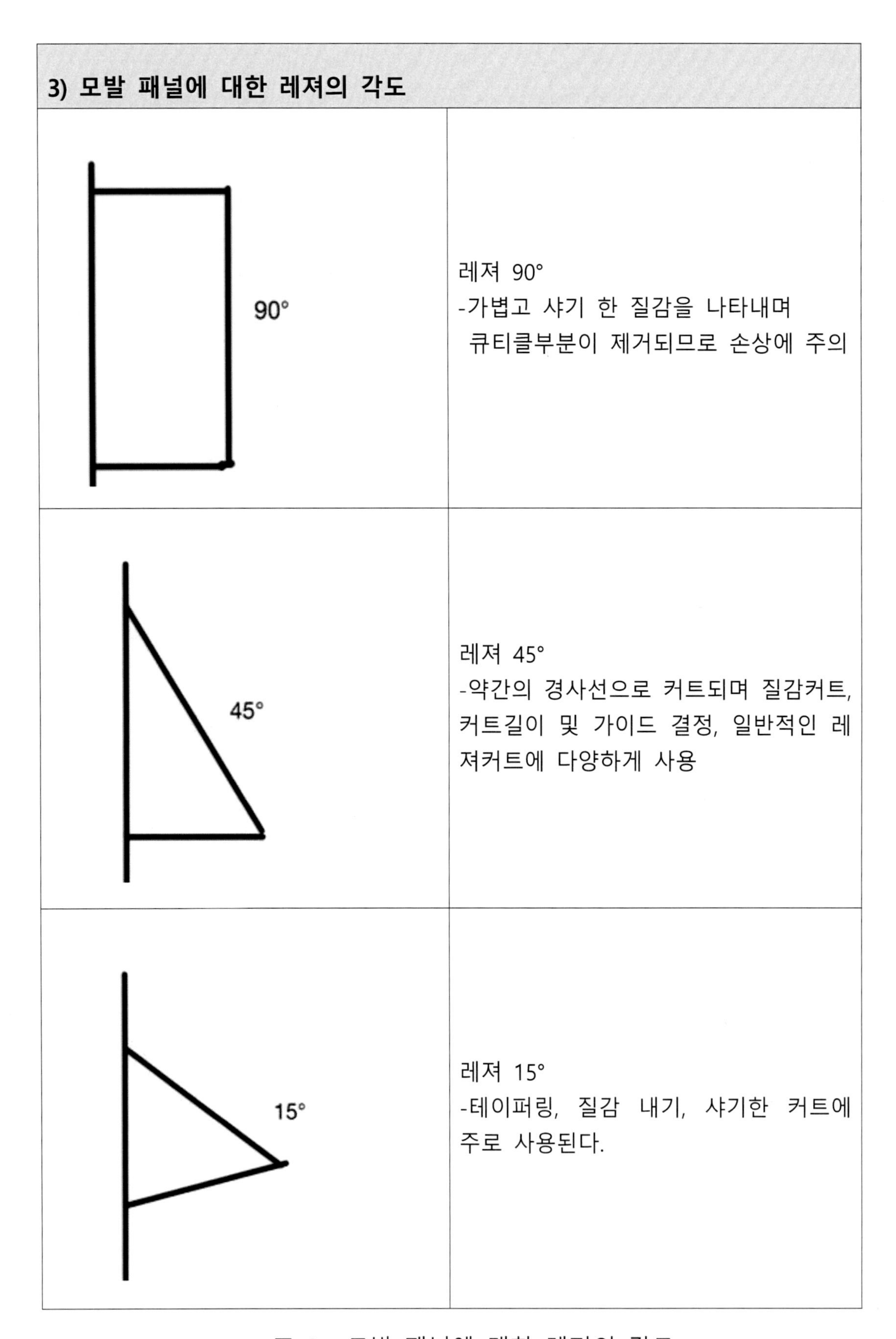

3) 모발 패널에 대한 레져의 각도	
90°	레져 90° -가볍고 샤기 한 질감을 나타내며 큐티클부분이 제거되므로 손상에 주의
45°	레져 45° -약간의 경사선으로 커트되며 질감커트, 커트길이 및 가이드 결정, 일반적인 레져커트에 다양하게 사용
15°	레져 15° -테이퍼링, 질감 내기, 샤기한 커트에 주로 사용된다.

<표 9> 모발 패널에 대한 레져의 각도

1-1. 블로킹 도해도 풀이

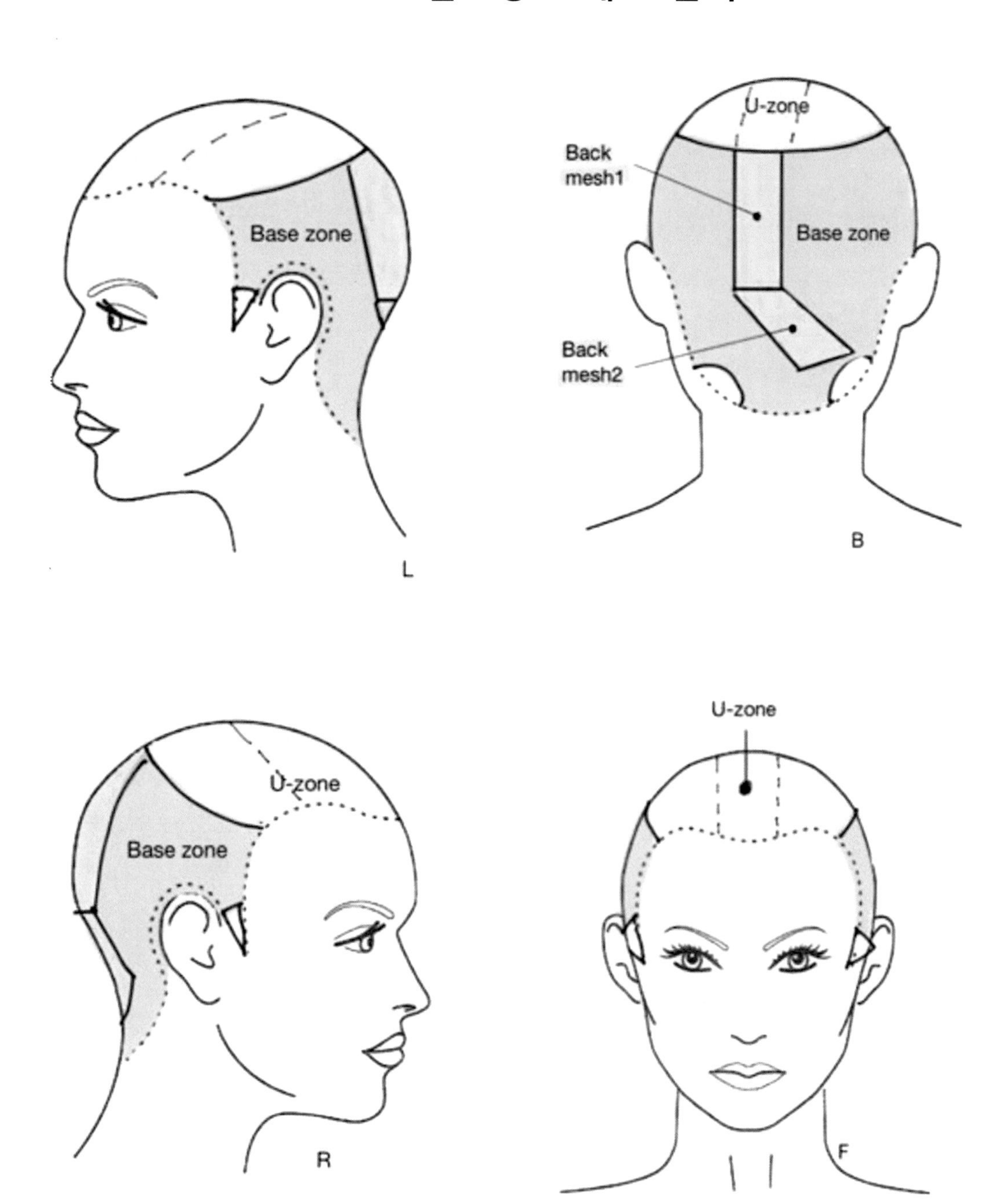

<도해도 1> 크리에이티브 커트 블로킹 도해도 분석

유존 (U-Zone)	F.S.P를 기점으로 나눈 전면 매쉬의 표현
백부분 뒷날개 (Back mesh 1와 Back mesh 2)	B.P를 기점으로 두 개의 뒷날개로 나뉘어 후면 매쉬의 S커브를 표현
베이스 존 (Base zone)	두상 곡면의 아름다움을 표현, 모발의 두상 밀착을 요함
포인트 매쉬 (S.C.P와 N.C.P의 구역)	포인트 모다발을 목적으로 구레나룻과 네이프의 컨케이브 흐름선을 표현

<표 10> 크리에이티브 커트 블로킹 구역에 따른 특성 및 목적

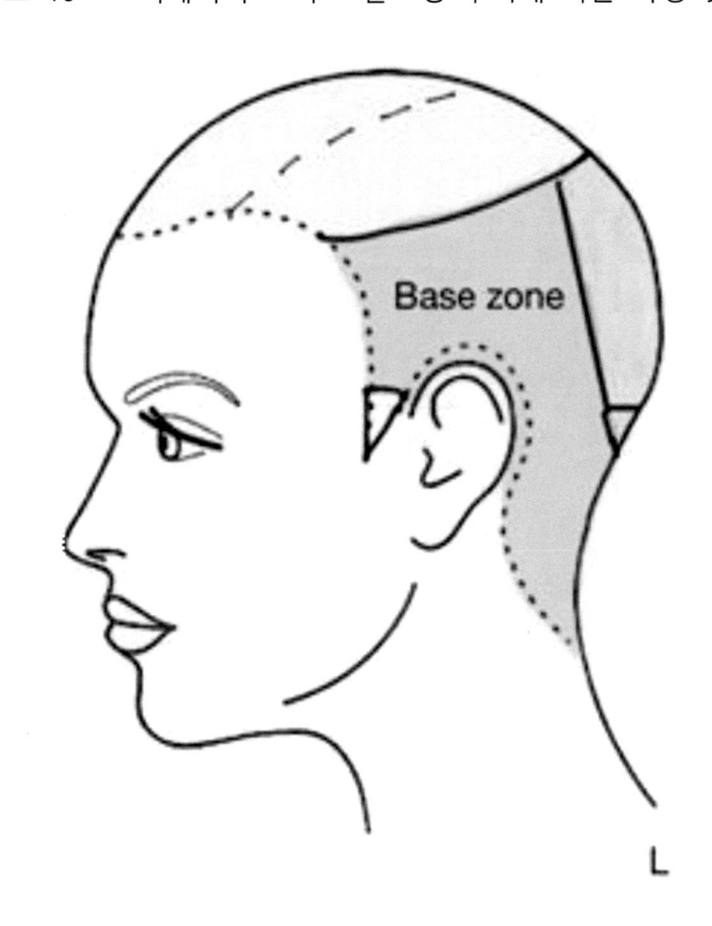

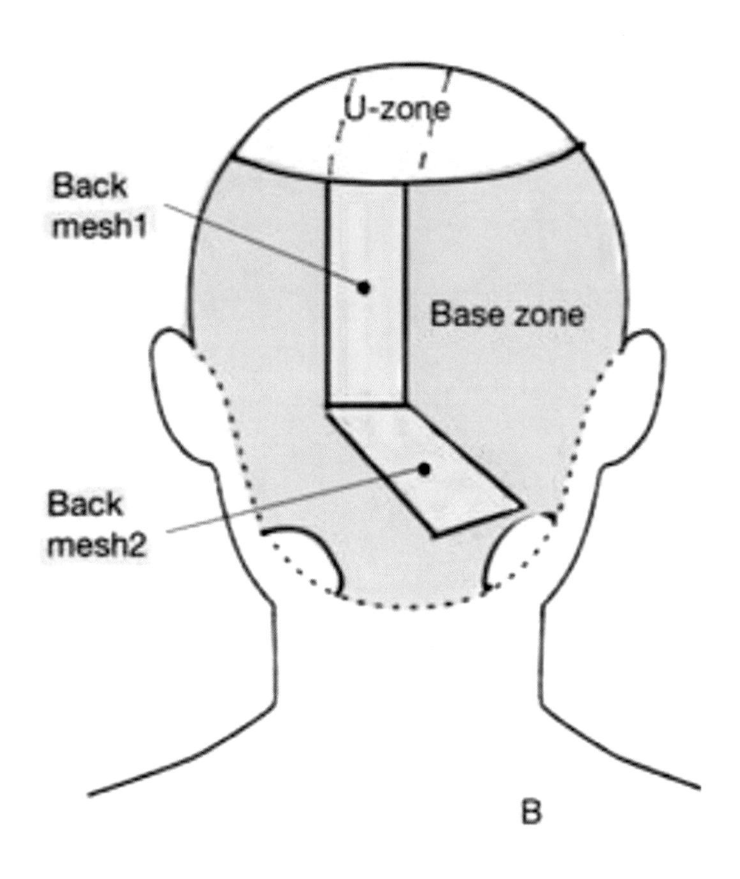
U-zone
Back
mesh1
Base zone
Back
mesh2
B

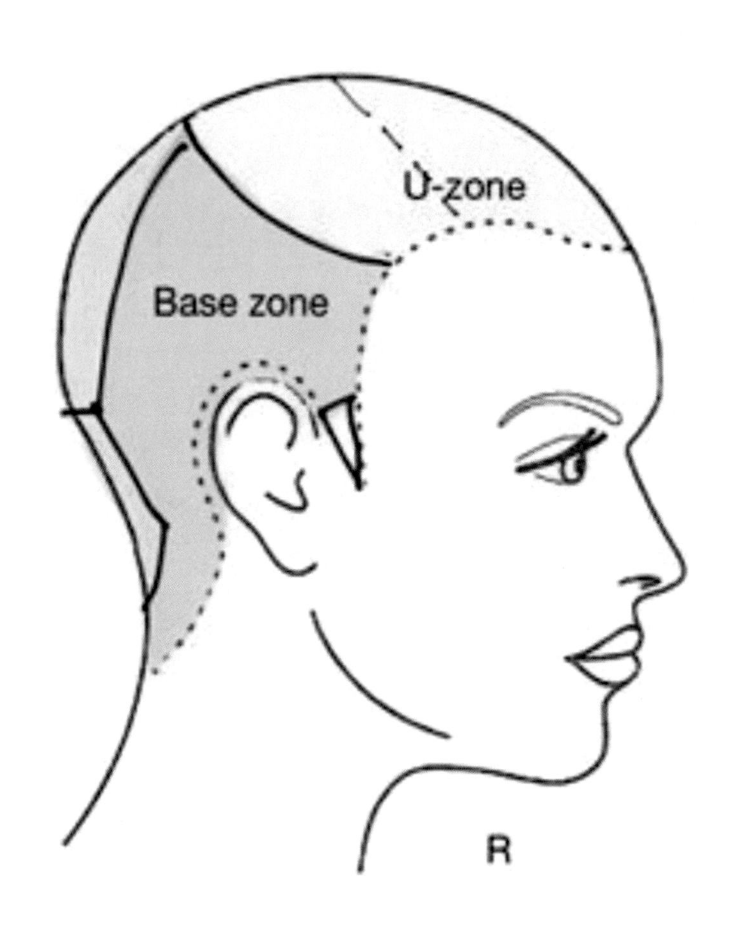
U-zone
Base zone
R

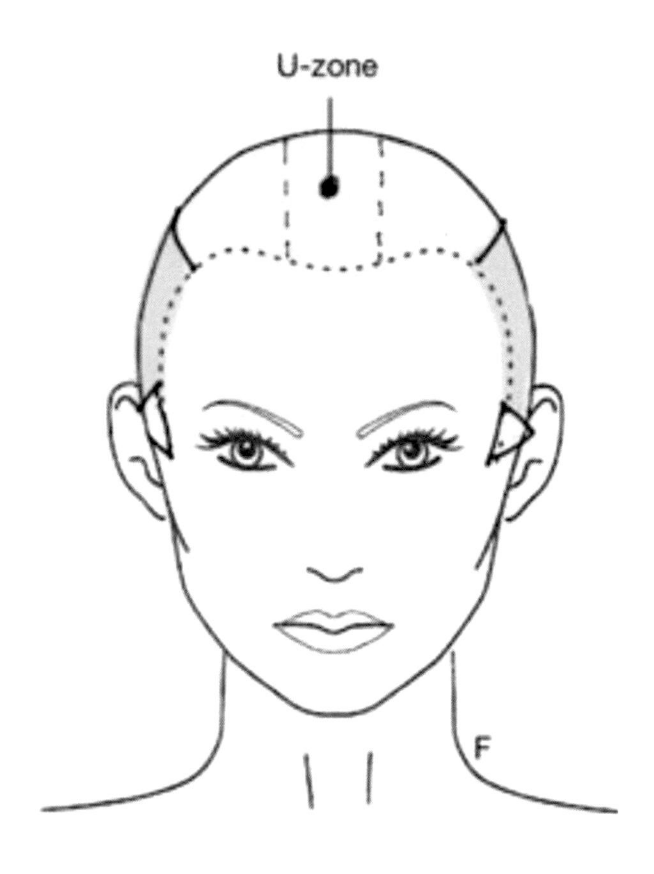

본 연구자가 디자인한 크리에이티브 커트 블로킹을 분석해보면 크게 4개의 구역으로 나눌 수 있다. 첫 번째, F.S.P를 기점으로 나눈 전면 매쉬가 펼쳐지는 U-Zone과 후면 매쉬가 펼쳐지는 백부분의 Back mesh 1와 Back mesh 2로 나눠진다. 또한 작품의 두상 곡면의 아름다움을 표현해주는 베이스부분인 Base zone과 양쪽 대칭으로 나눈 S.C.P와 N.C.P의 구역을 따로 블로킹하여 포인트 모다발을 목적으로 구레나룻과 네이프의 컨케이브 흐름선을 표현 해준다.

지금까지 설명하였던 4개의 각 구역(U-Zone, Back mesh, Base zone, Point S.C.P& N.C.P)의 블로킹을 위한 기준 점의 위치를 지정하였다.

첫 번째, 유존(U-Zone)은 양쪽 F.S.P를 기점으로 마네킨의 가마를 향해 둥글려서 블로킹을 타준다. 향후 전면 매쉬의 표현을 할 모발이므로 너무 적지 않게 모량을 설정한다.

두 번째, 백 매쉬(Back mesh)는 백 매쉬1(Back mesh1)과 백 매쉬2(Back mesh2)로 나뉘어져 있다. 두 개의 매쉬가 어우러져 완성작에서 보았을 때 S커브의 아름다움이 표현되어야 하므로 커트 블로킹도 두 개로 나누어 타준다. 백 매쉬1의 블로킹은 표현하고자 하는 완성작의 디자인의 방향이 왼쪽으로 넘어가

므로 백 정중앙을 기점으로 좌측 편으로 치우치게 3cm 정도 너비의 버티컬 직사각 블로킹을 타준다. 백 매쉬2의 블로킹은 매쉬1과 이어지게 하되, 입체감의 표현을 위해 다이애거널 섹션으로 오른쪽 N.C.P를 향해 우대각으로 블로킹 나눠준다.

세 번째, 베이스 존(Base zone)은 두상 곡면의 흐름을 보여주어야 하며 그러기 위해서는 가볍고 두피에 모발의 베이스가 밀착 되어야 하는 특징을 가지고 있다. 따라서 디자인 한 크리에이티브의 매쉬와 포인트 매쉬를 제외한 모든 모발을 베이스 존으로 설정 한다.

네 번째, 포인트 모발인 S.C.P& N.C.P의 섹션은 삼각 섹션이 나오게끔 소량 모다발을 나누어 클립 처리 하여 블로킹 해준다.

1-2. 커트 도해도 풀이

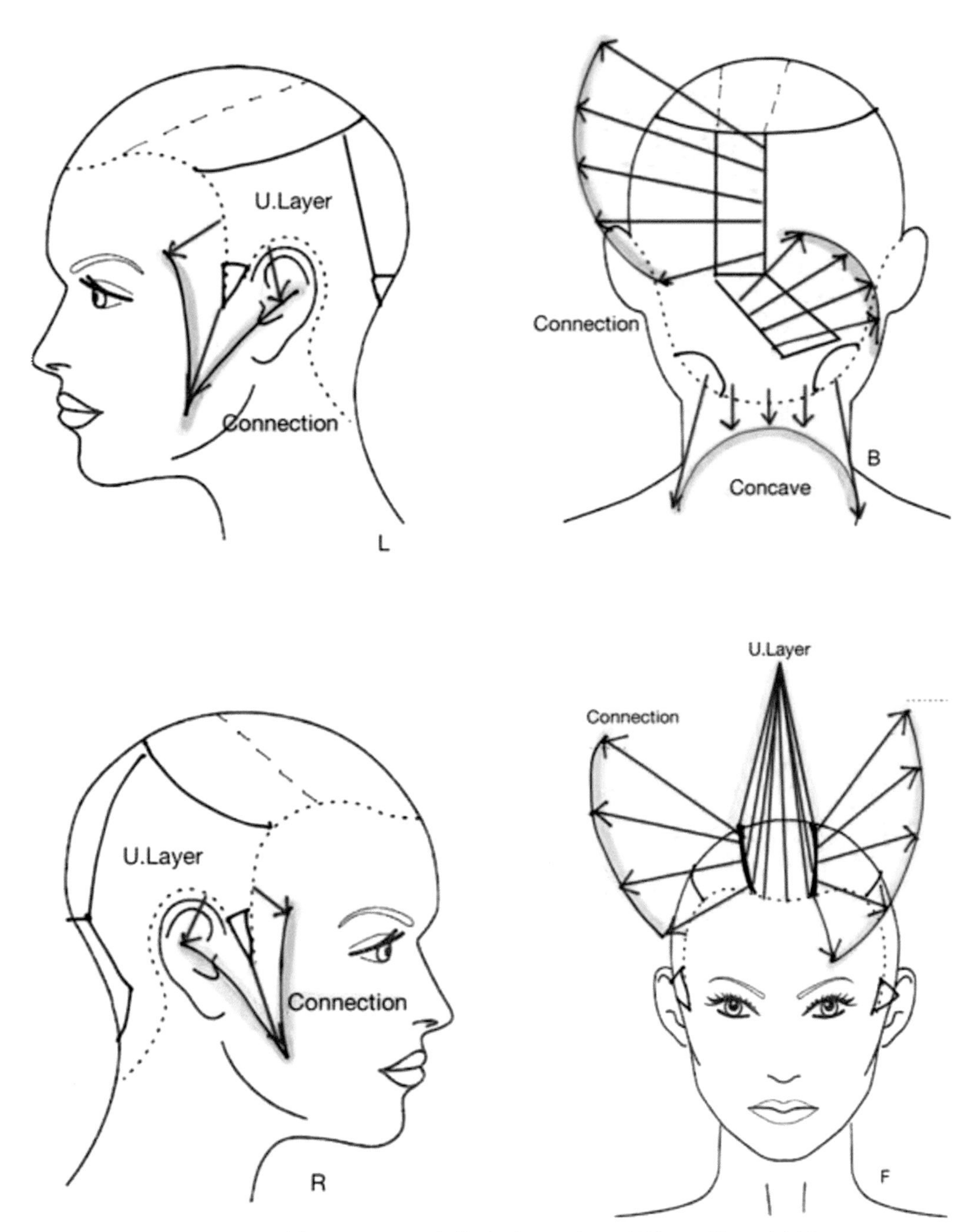

<도해도 2> 크리에이티브 커트방법 도해도 분석

U-Zone	Connection / U.Layer
Back mesh 1, Back mesh 2	Connection
Base zone	U.Layer
S.C.P, N.C.P	Connection

<표 11> 커트 구역별 커트 방법

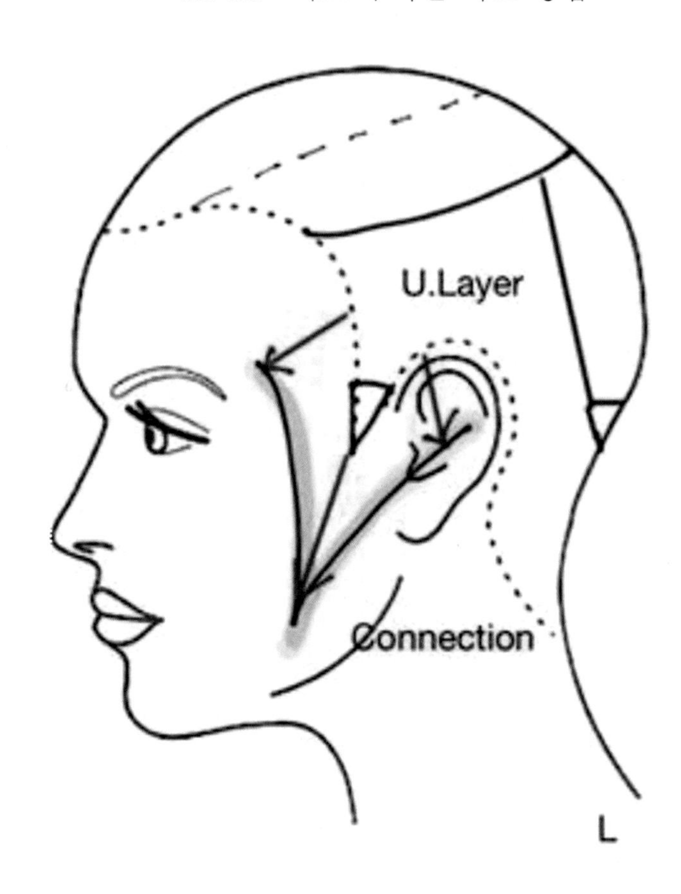

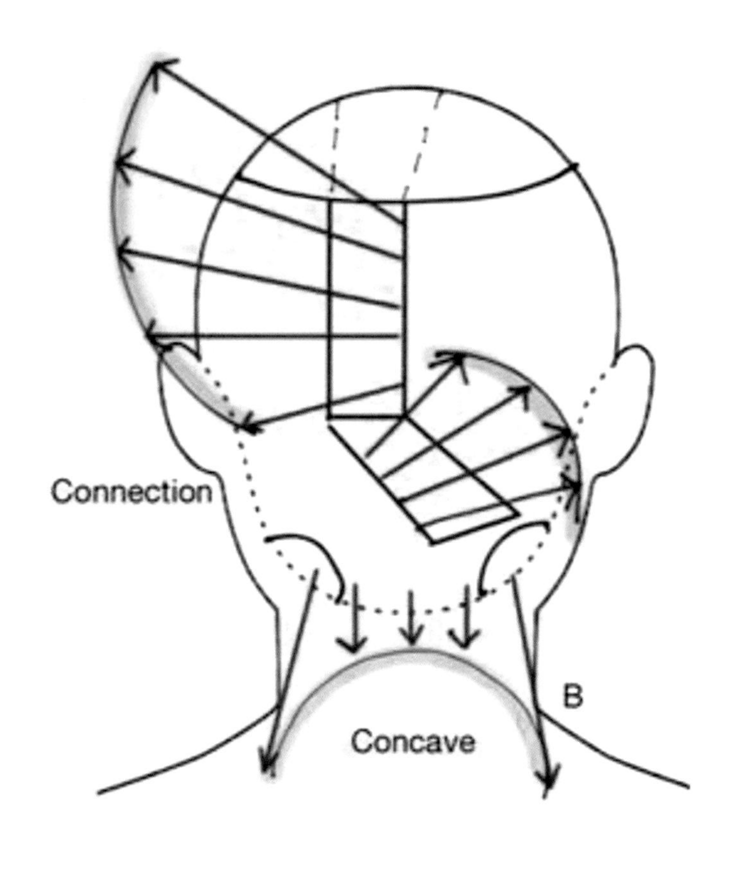
Connection
B
Concave

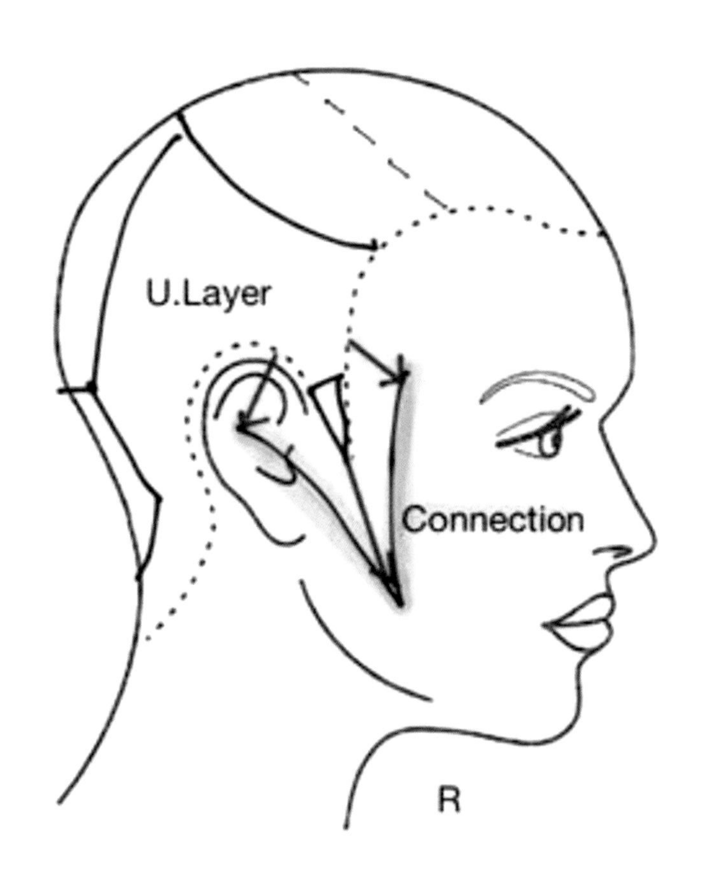
U.Layer
Connection
R

디자인 할 크리에이티브 커트방법을 분석해보면 유존의 커트 기법은 3개의 버티컬 섹션으로 나뉘어 중간섹션은 유니폼 레이어(U.Layer) 기법으로 모든 머리가 같은길이로 떨어지게 커트 해준다. 좌, 우의 유존 버티컬 섹션은 후면으로 갈수록 길어지게 길이를 커넥션(Connection), 연결 시켜준다. 후면의 백매쉬1과 백매쉬2 또한 각 섹션의 위로 갈수록 길이가 길어지게 커텍션 시켜준다. 네이프의 섹션은 N.C.P의 머리를 긴 가이드로 설정하여 컨케이브(Concave)의 아웃라인으로 커트 진행한다. 이때, 레저가 아닌 블런트 가위를 써도 용이하다. 양쪽 N.C.P의 포인트 매쉬 또한 베이스 존의 모발과 커넥션, 연결시켜준다. 이때 작업자의 필요에 따라 슬라이싱 기법을 사용한다면 완성 시의 작품의 연결성 흐름에 유리하다.

Ⅲ. 커트-크리에이티브 커트 작업 과정

⁕ 크리에이티브 제작을 위해 주로 사용되는 커트 도구는 웨트커트에 적합한 레저이지만, 작업자의 편의에 따라 블런트 커트와 틴닝가위의 사용도 적합하다. 블런트 커트와 틴닝 가위를 이용하여 커트 작업을 계획할 시, 마찬가지로 웨트커트로 블런트 커트를 진행하되, 테이퍼링은 드라이 커트로 틴닝과 병행해야 정확한 질감처리가 가능하다. 크리에이티브 커트 제작 과정은 아래 <과정1>과 같다

① F.S.P를 기준으로 프론트 U블로킹을 타준다.

② 백부분 블로킹을 위해 구역정리를 해준다.

③ T.G.M.P에서 B.P까지의 뒷날개1(백 매쉬) 블로킹을 타준다.

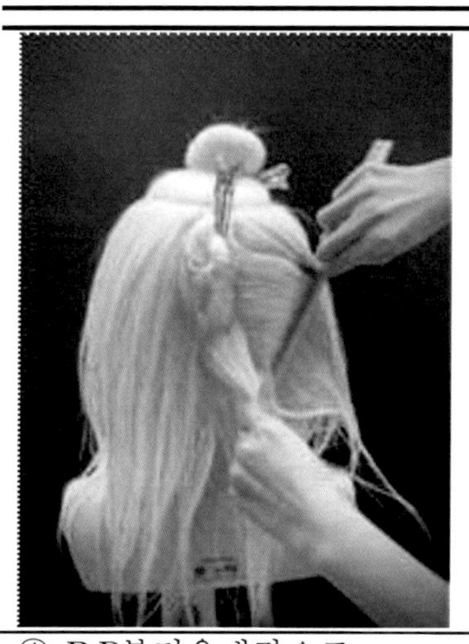

④ B.P부터우대각으로 다이애거널 블로킹 타준다. (뒷날개2)

⑤ 뒷날개1, 뒷날개2 블로킹

⑥ 양쪽 모두 대칭으로 S.C.P와 N.C.P의 모발을 클립처리 한다.

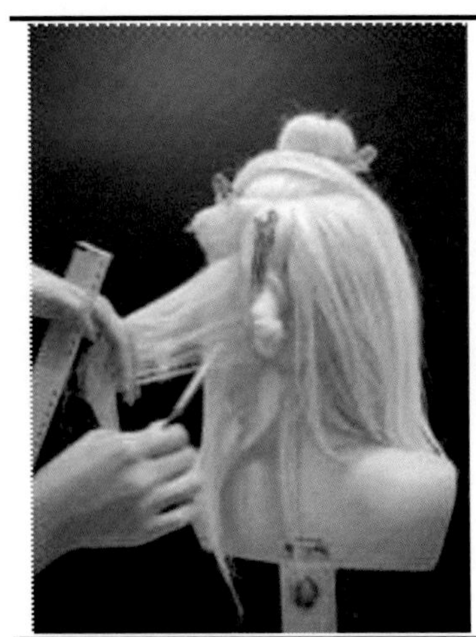

⑦ 나머지 베이스 존의 B.P기점 아래 모발을 인크리스 레이어로(I.L) 8~12 cm로 커트한다.

⑧ 베이스 존의 B.P기점 위의 모발을 유니폼 레이어로(U.L) 약8cm로 커트한다.

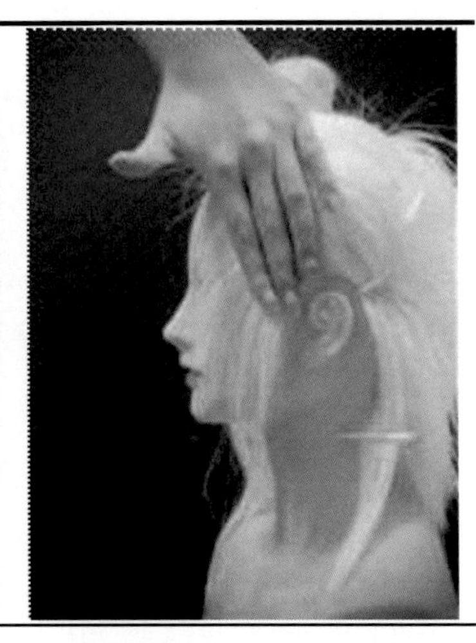

⑨ 콤아웃을 통하여 드라이 방향대로 빗질해본 후 아웃라인을 정리해준다.

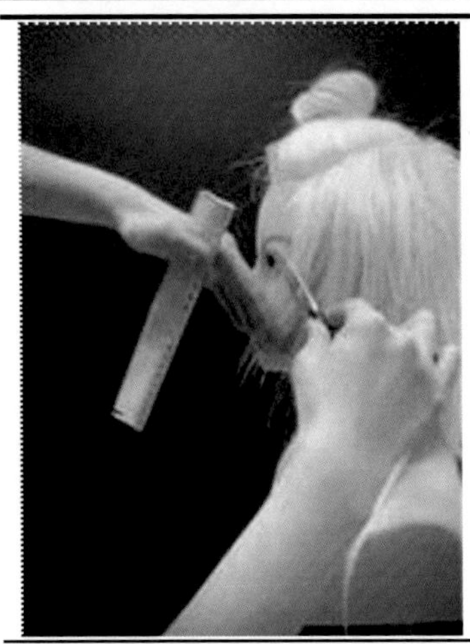

⑩ S.C.P 구역 모발을 구레나룻으로 길게 설정하고 베이스의 기장과 커넥션 해준다.

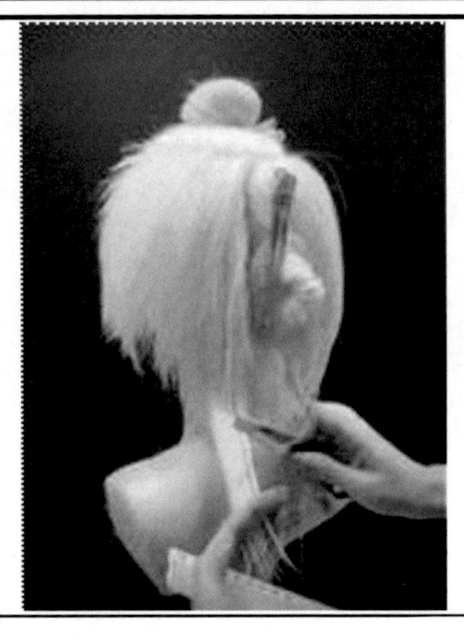

⑪ N.C.P의 모발도 섹션 양옆의 모발과 커넥션 한다.

⑫ 우측 베이스 존도 좌측과 동일하게 B.P기준 하단부터 커트 한다.

		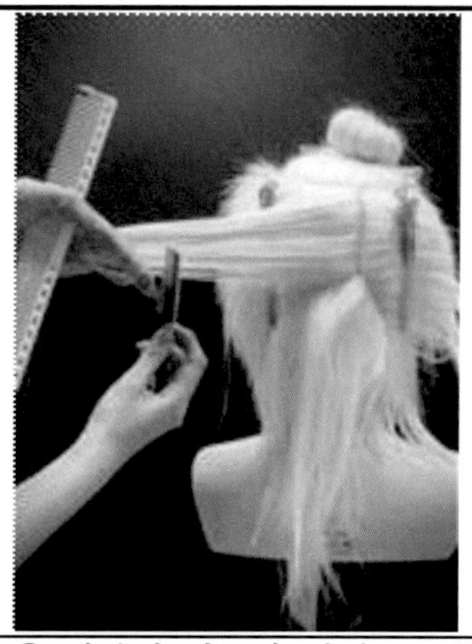
⑬ 우측 베이스 존 상단도 커트 한다.	⑭ **뒷날개1:** U블로킹과 뒷날개 1의 경계 지점 모발을 가장 긴 길이로 가이드 설정한다.	⑮ 뒷날개1과 2의 경계 머리와 ⑭에서 잘랐던 머리가 위로 갈수록 길어지게 커넥션 시켜준다.
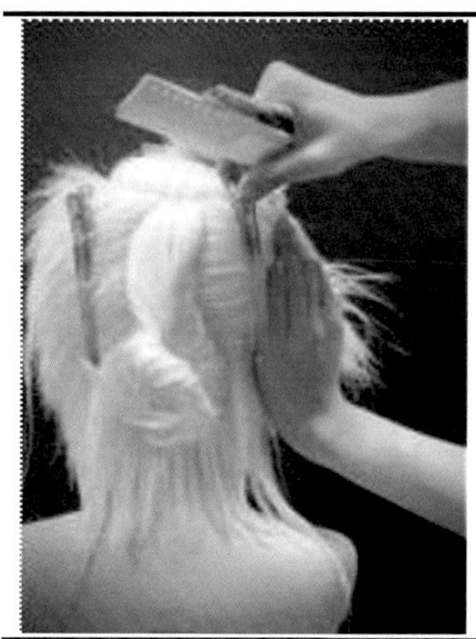	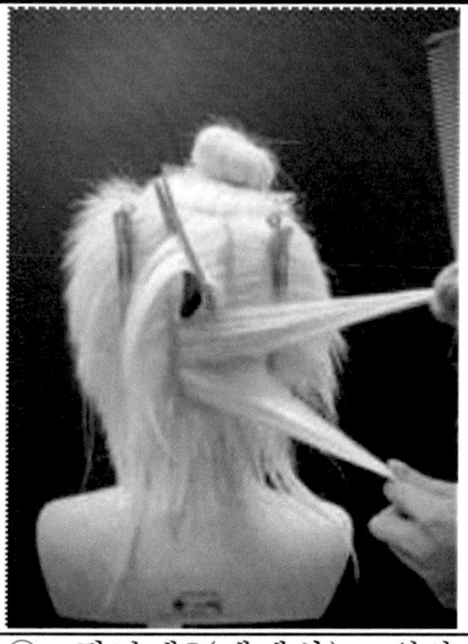	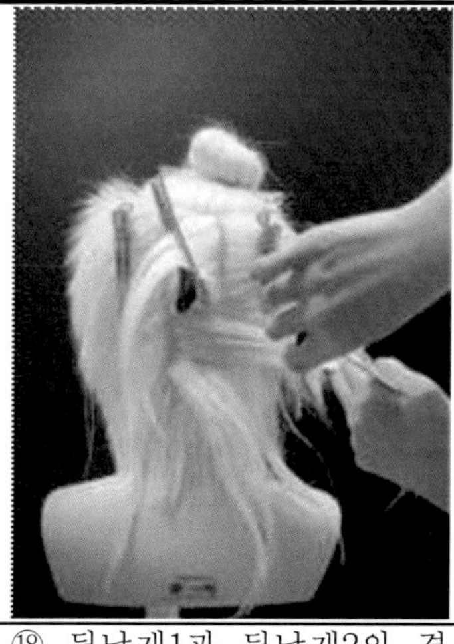
⑯ 뒷날개 2 커트 전에 다시 한번 구역정리를 깔끔하게 해준다.	⑰ **뒷날개2(백매쉬):** 위와 마찬가지로 블로킹 기준 상단과 하단을 나눠준다.	⑱ 뒷날개1과 뒷날개2의 경계부분인 상단 부분의 길이 가이드를 설정한다.

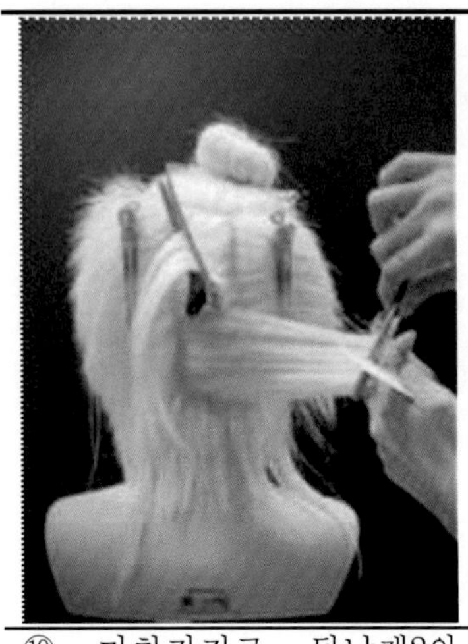

⑲ 마찬가지로 뒷날개2의 하단 부분과 상단부분을 위로 갈수록 길어지게 커넥션 커트 한다.

⑳ **프런트 U존:** 프런트 U존은 버티컬로 1/3씩 커트 전 섹션구역을 나눠준다.

㉑ 마네킨의 우측 버티컬 섹션부터 질감 처리를 해준다.

㉒길이 커넥션을 위해 E.P를 기준으로 2등분 해준다.

㉓U존과 뒷날개 1의 경계쪽 모발의 길이 가이드를 설정한다.

㉔㉓의 길이가이드를 기준으로 뒤로 갈수록 길어지게 커넥션 커트한다.

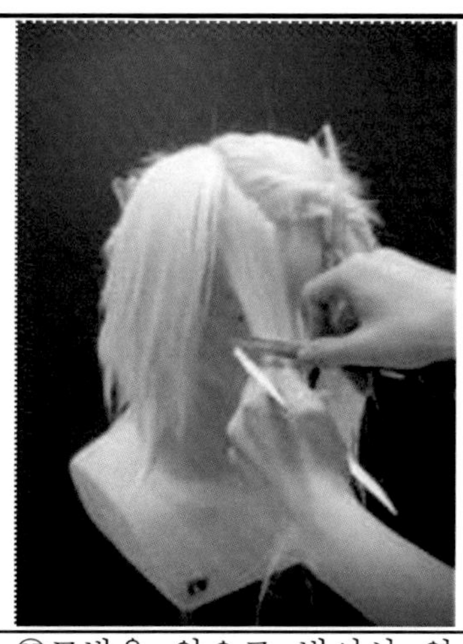		
㉕모발을 앞으로 빗어서 옆의 길이를 가이드로 좌대각의 커트라인이 나오게 커트한다.	㉖좌측 1/3 섹션도 앞과 마찬가지로 E.P 기준으로 1/2로 나눈다.	㉗좌측 F.S.P 쪽 1/2 머리는 앞으로 당겨서 우대각이 나오도록 커트한다.
		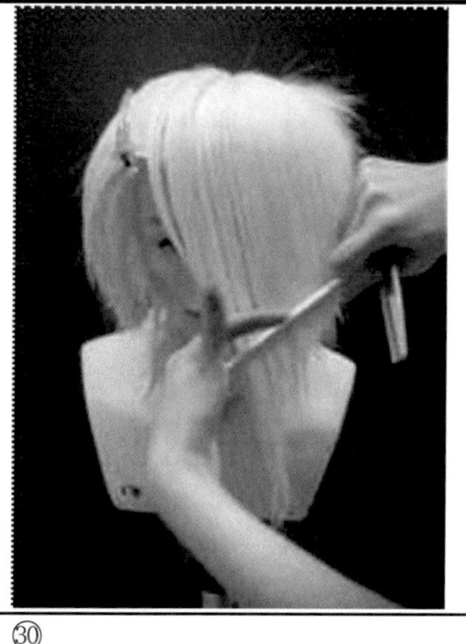
㉘ 잘라놓은 머리를 가이드로 뒤로 갈수록 길어지게 커넥션 커트 한다.	㉙ U존 버티컬 3등분 섹션의 중간 섹션을 노멀테이퍼링 한다.	㉚ 질감처리 후, 모발의 뿌리방향을 우측으로 밀어 빗질해 준뒤 아웃라인을 옆의 커트선과 맞추어 인크리스 레이어로(I.L) 커트한다.

CHAPTER 04

Ⅳ. 베이스 방향 설정

1. 베이스 방향 설정 기초 이론 및 주의사항

2. 크리에이티브 베이스존 흐름 도해도 풀이

3. 크리에이티브 베이스 방향 설정 작업과정

Ⅳ. 베이스 방향 설정- 1, 2. 기초이론, 주의사항, 흐름

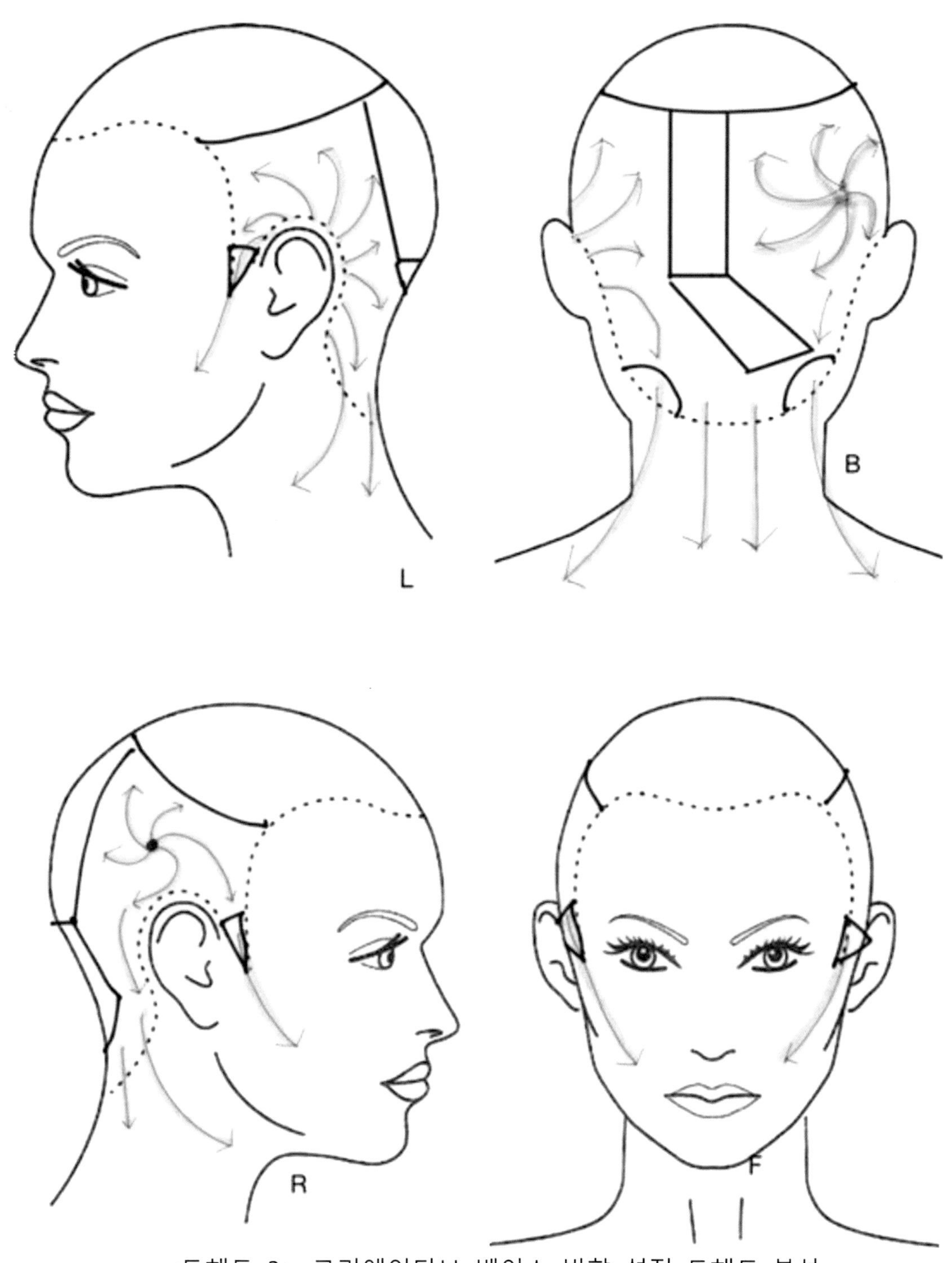

<도해도 3> 크리에이티브 베이스 방향 설정 도해도 분석

크리에이티브의 베이스 존은 두상 곡면에 밀착되어 완성된 모습이 매쉬와 조화롭게 어우러져야 한다. 그러므로 펌 제를 이용하여 두상 밀착 및 C컬 흐름을

추가 시켜 조화미를 연출하는데 이 때 올바른 뿌리 빗질 방향과 약제의 적절한 사용이 중요하다. 본 연구자가 완성하고자 하는 디자인의 베이스 방향 도해도 분석은 앞서 제시한 바와 같다.

IV. 베이스 방향 설정- 3. 베이스방향 설정 작업과정

① U블로킹과 뒷날개1, 2를 제외한 베이스 존을 드라이 흐름에 맞게 눌러 준다.	② 오른쪽 베이스 존의 뿌리 1cm에 다운펌 약제를 전체적으로 도포해준다.	③ 잡은 섹션의 한 면이 아닌 뿌리의 앞, 뒤로 도포해준다.
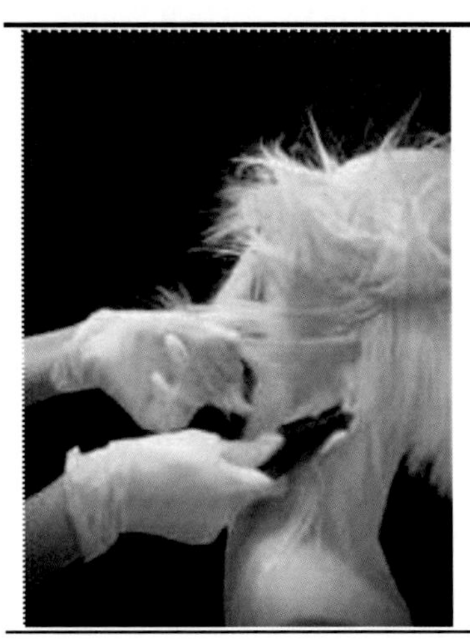	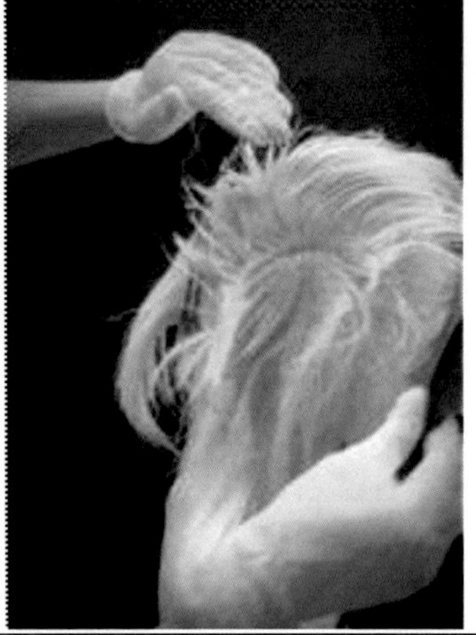	
④ 센터라인부터 헤어라인 쪽으로 도포해주며 빗질은 생략 한다.	⑤ 뿌리에 약제를 전체 도포 후 센터라인에 가까운 섹션부터 방사방향으로 빗질해준다.	⑥ 프런트 쪽으로 향하는 방사빗질은 뿌리가 함께 밀리지 않도록 왼손으로 뿌리의 텐션을 잡아 준다.

⑦ 오른쪽 베이스 존의 태극의 흐름이 나올 수 있도록 하단의 1/2 부분은 뿌리와 끝의 흐름을 후면으로 보내 준다.

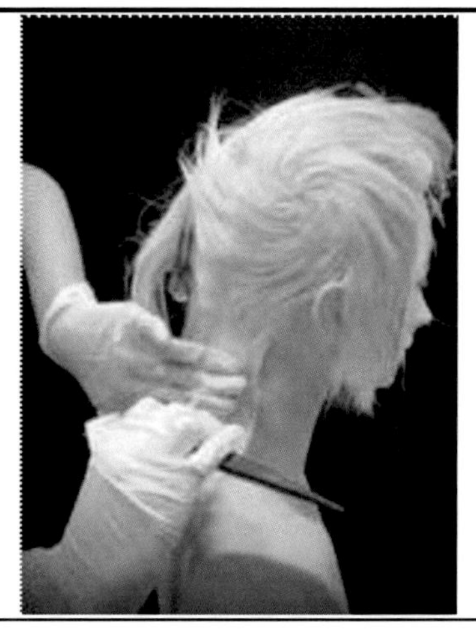

⑧ 네이프 라인에 가까워질수록 베이스 빗질의 흐름을 수직으로 보낸다.

⑨ 왼쪽 베이스 존 경계라인의 뿌리에 약제를 도포한다.

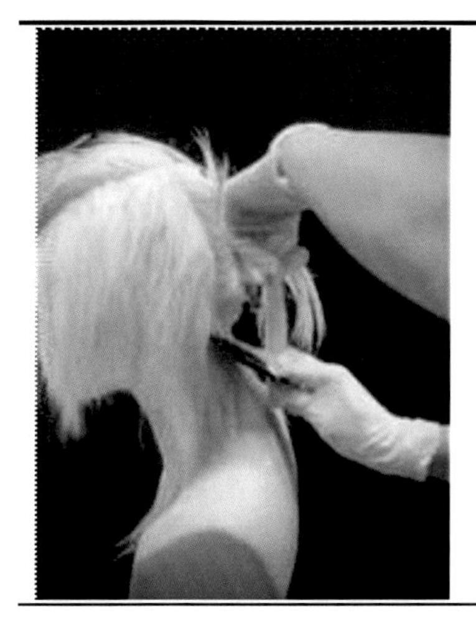

⑩ 하단 경계부분도 도포한다.

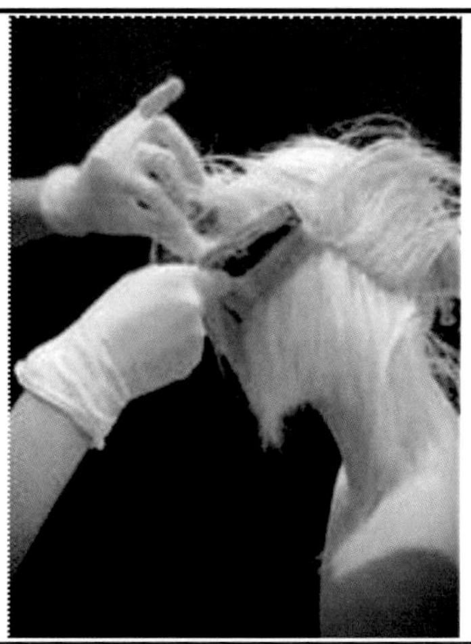

⑪ 좌측 베이스 존도 우측과 동일하게 진행 한다.

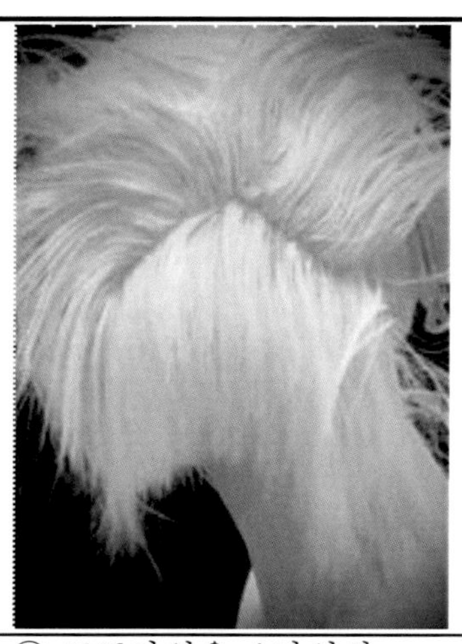

⑫ 도포라인은 A라인의 형태가 보이게 뿌리에 도포해준다.

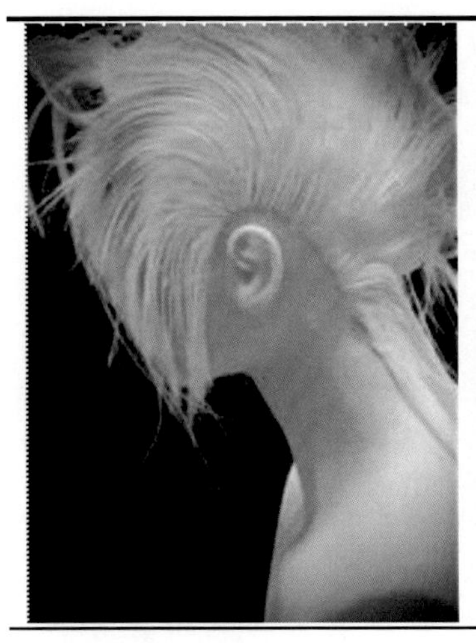

⑬ 좌측 베이스 존의 밀착이 되게 코밍해준다.

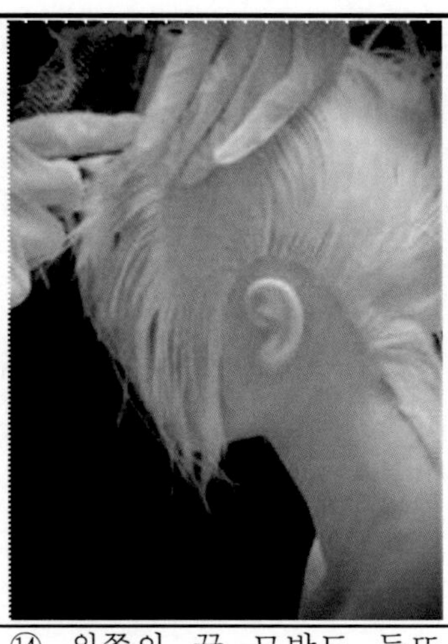

⑭ 위쪽의 끝 모발도 들뜨지 않도록 손으로 밀착 시켜준다.

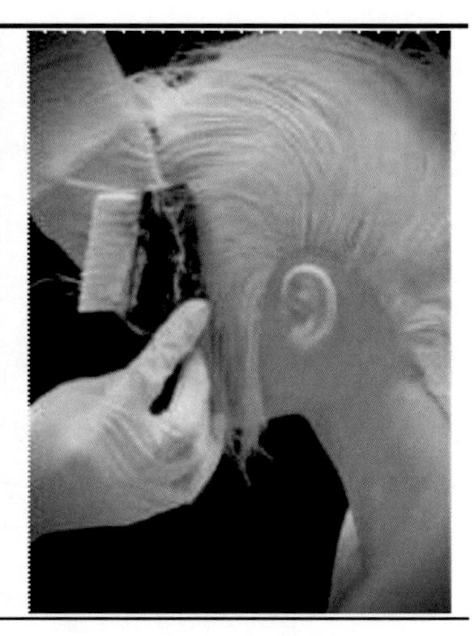

⑮ 앞 쪽의 모발도 들뜨지 않게 밀착 시켜준다.

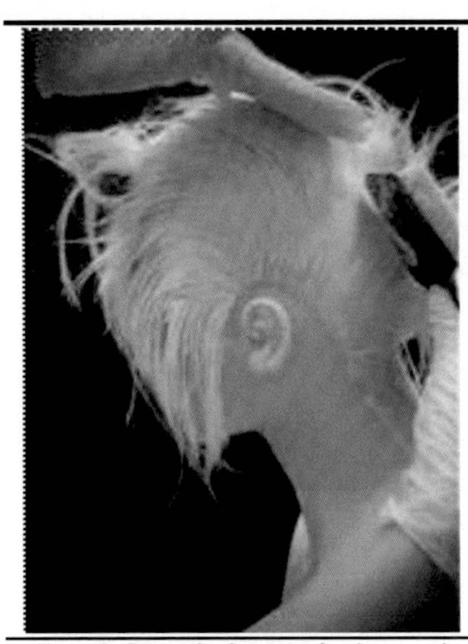

⑯ 좌측 네이프 라인도 우측과 대칭으로 진행 한다.

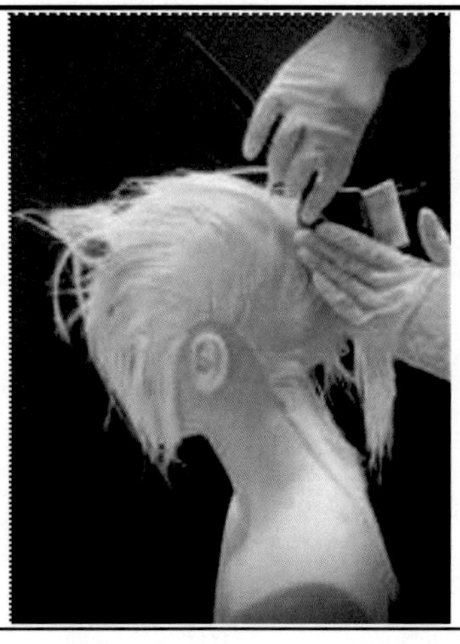

⑰ 손으로 밀착 시켜 준다.

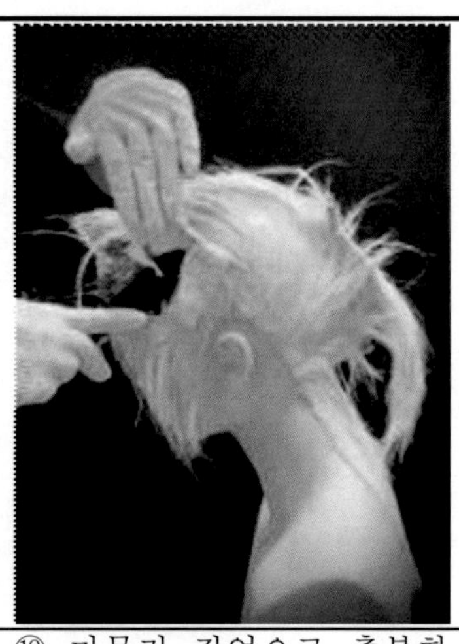

⑱ 마무리 작업으로 충분한 약제를 얹어 준다.

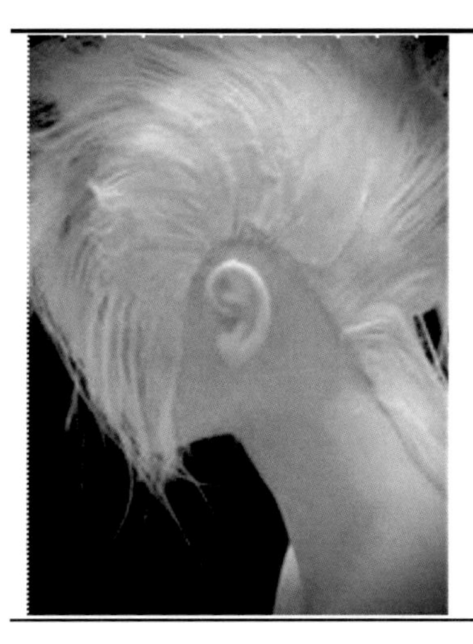

⑲ 약제는 끝에 갈수록 양을 달리 하여, 손상을 방지한다.

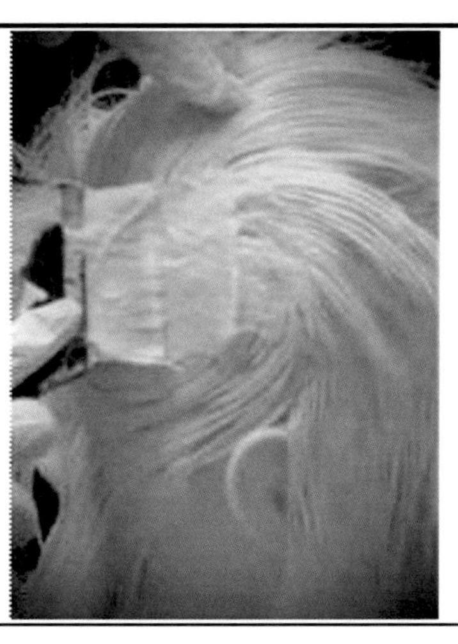

⑳ 우측 베이스 존의 방사형 P.P점에도 충분한 약액을 얹는다.

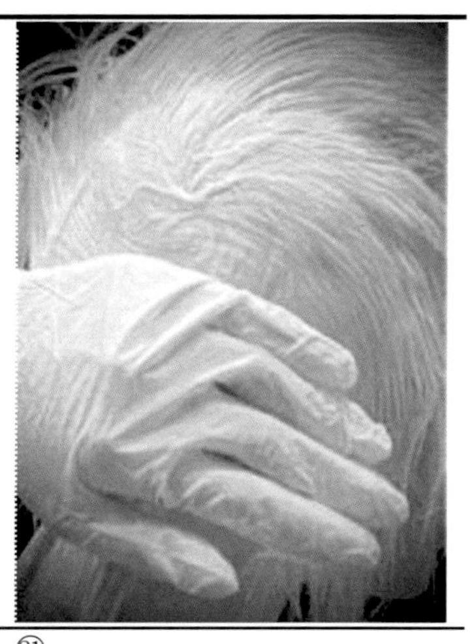

㉑
전체 도포가 끝났다면 손바닥으로 가볍게 밀착 시켜준다.

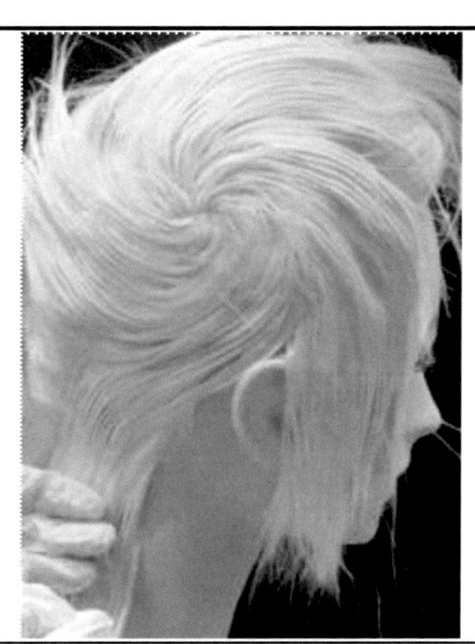

㉒방치 후 샴푸 해준다.

CHAPTER 05

Ⅴ. 컬러링

1. 컬러링 기본개념 및 설정
   기초 이론 및 주의사항

2. 크리에이티브 컬러링 도해도 설계

3. 크리에이티브 컬러링 작업과정

V. 컬러링 –1. 기본개념 및 설정/ 기초 이론 및 주의사항

1. 컬러

크리에이티브 컬러는 작품의 컨셉, 주제, 디자인에 의해서 결정되어 시대적의 변화와 유행에 맞추어 이루어진다. 필요에 따라 블리치의 유무도 결정된다. 색상은 주로 산성컬러를 사용하며 주로 모근쪽 베이스이 모발을 어둡게 하고 모발의 끝쪽으로 갈수록 밝게 하여 깃털이나 붓끝의 모양처럼 가벼운 스타일의 더욱 입체적인 느낌을 표현 한다. 패널의 색상들끼리 경계선이 생기지 않도록 하며 베이스 색상은 주제의 가장 기초가 되는 색상을 말하며 두피부터 시작되는 색상이다. 또한 컬러 대비의 차이점을 표현하는 색상 혹은 그라데이션을 나타내는 색상등 다양한 컬러 색상으로 하여 디자인 감각을 발휘해 3가지 정도의 그라데이션의 조화를 이루어야 한다. 크리에이티브 제작 과정에서의 컬러는 결국 헤어 염색을 의미하기도 한다. 염색은 헤어컬러링(Hair coloring), 헤어틴트(Hair tint), 헤어다이(Hair dye)로도 표현되며 의약부외품으로 분류되는 염색제와 약사법상 화장품을 적용하고자 하는 모발에 일시적 또는 영구적으로 다양한 컬러의 색을 착색시키는 것으로 아름다움을 추구하는 인간욕구의 예술적 행위를 다양한 과학응용을 통해 실현 한 것으로 볼 수 있다. 염색약에 적용하는 모발의 종류는 크게 3가지인 자연모, 염색모, 탈색모로 구분된다. 염색은 흰 백모발을 자연모발색으로, 자연모발 컬러를 더 개성있고 매력적인 색조와 톤으로, 염색모에서 자연모로 컬러체인지를 하고자 하고 장식을 의의로 하는 효과를 원할 때 사용한다. 염색의 기법은 크게 새치염색과 멋내기 염색으로 살롱에서는 주로 나뉘기도 한다.

이러한 헤어 컬러를 위한 염색은 염모제를 통하여 이루어지는 것을 알 수 있는데, 염모제의 종류는 3가지의 측면에서 나뉜다. 일시적 염모제, 반영구적 염모제, 영구적 염모제로 나눌 수 있고 특성에 대하여는 일시적 염모제는 쉽게 모발 착색제라고 정의 할수 있는데 모표피에 일시적인 부착으로 샴푸를 하면 곧바로 제거되어 여러 분장에도 많이 쓰이는 헤어염모제이다. 암모니아나 과산화수소가 불첨가되어 시술 횟수와 이력이 거듭되어도 모발 손상은 일어나지 않는다는 특징이 있다. 대표적인 예로 컬러 린스(Color rinse), 컬러 스프레이(Color sparys), 헤어 마스카라(Hair mascara), 컬러 크레용(Color crayon), 컬러 파우더(Color power), 컬러 크림(Color cream) 등이 있고 이들은 약사법상 화장품으로 분류되어 주요 성분으로는 무기안료, 가본 블팩, 법정 색소등의 성분이 있다.

반영구적 염모제는 Semi-permant hair coloring라고도 하며 지속기간이 최대 6주 정도로 샴푸 횟수와 물 온도에 따라서도 차이가 있다. 모피질(Cortex)에 약간의 색이 흡수되어 모표피(Cuticle)에 막을 입히는 구조로 침투작용의 원리이다. 새치모발의 소량 부분에 주로 많이 사용되고 윤기를 부여하지만 모발 기본구조는 변화시키지 않는다. pH 2~4 정도로 탈색력은 없어서 모발의 톤업이 불가하다. 화장품으로 약사법상 분류되어 주요 함유 성분으로는 법정 색소, 수산화 나트륨 등이 함유 되어 있다. 반영구적 염모제의 종류로는 프로그레시브 샴푸, 산성염모제, 컬러린스 등이 있다.

영구적 염모제는 1제에 포함된 알칼리 작용으로 모표피를 이완하여 모피질 안의 색소분자를 착색 시키며 이 과정의 색소 분자가 염모제의 색상과 같다. 추가적으로 산화제인 제 2제의 추가작용으로 인해서 탈색과 착색이 동시에 이루어지고 멜라닌 색소 감소와 염모제의 색상이 발색 된다. 색소 주성분인 산화염료와 산화제가 분리되어 있고 가장 많이 쓰이는 염모제로 모발을 잘라 낼 때까지 색상이 영구적으로 유지 된다는 특징이 있다. 영구적 염모제는 산화염모제와 비산화염모제로 나뉘고 산화염모제는 산성 산화염모제와 알칼리성 산화염모제로 나뉠 수 있다. 산성 산화염모제와 알칼리성 산화염모제는 약사법상 의약부외품으로 분류되고 주요성분은 파라페닐렌 디아민과 파라아미노페놀 등이 있다. 비산화염모제는 약사법상 의약부외품으로 분류되고 주요 성분은 제 1철이온, 페놀류 등이 있다.

구분	종류	
일시적 염모제	컬러 린스(Color rinse)	
	컬러 스프레이(Color sparys)	
	헤어 마스카라(Hair mascara)	
	컬러 크레용(Color crayon)	
	컬러 파우더(Color power)	
	컬러 크림(Color cream)	
반영구 염모제	프로그레시브 샴푸	
	산성염모제	
	컬러린스	
영구적 염모제	산화 염모제	산성 산화 염모제
		알칼리성 산화 염모제
	비산화 염모제	

<표 12> 염모제의 종류

MEMO

V. 컬러링- 2. 크리에이티브 컬러링 도해도 설계

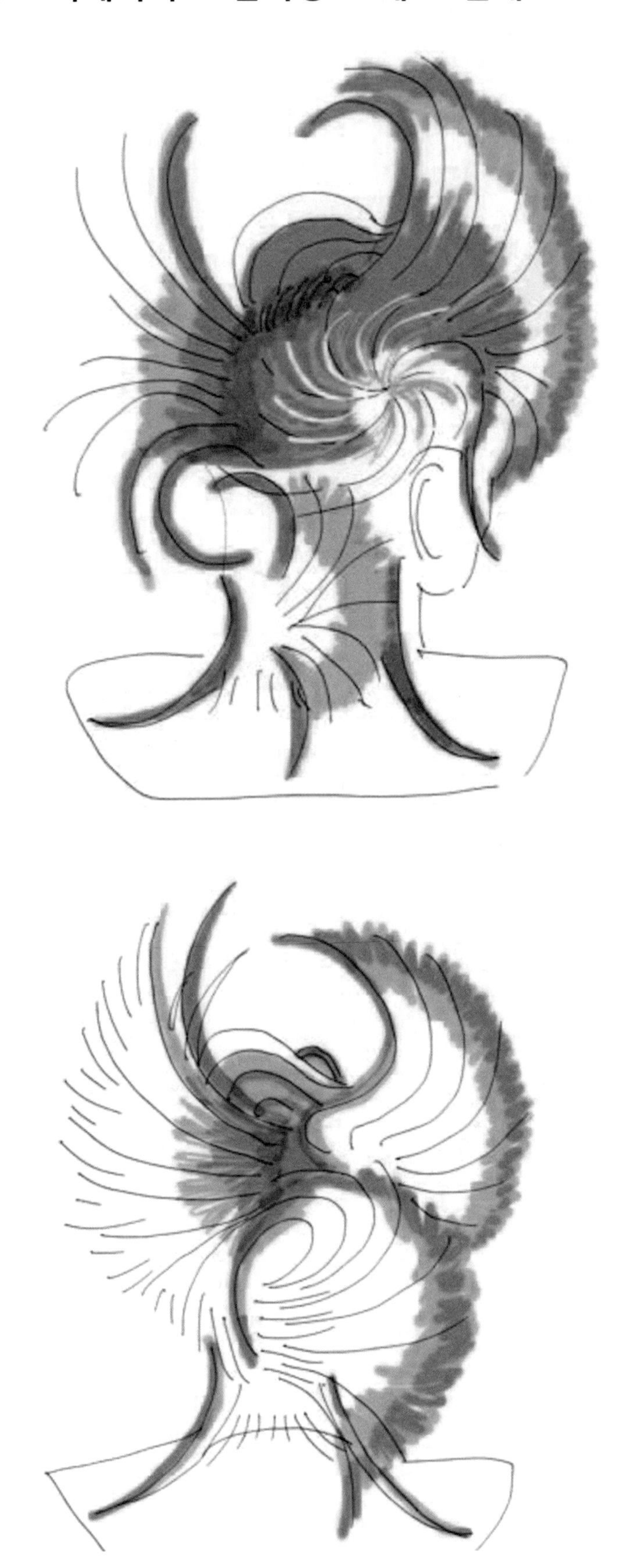

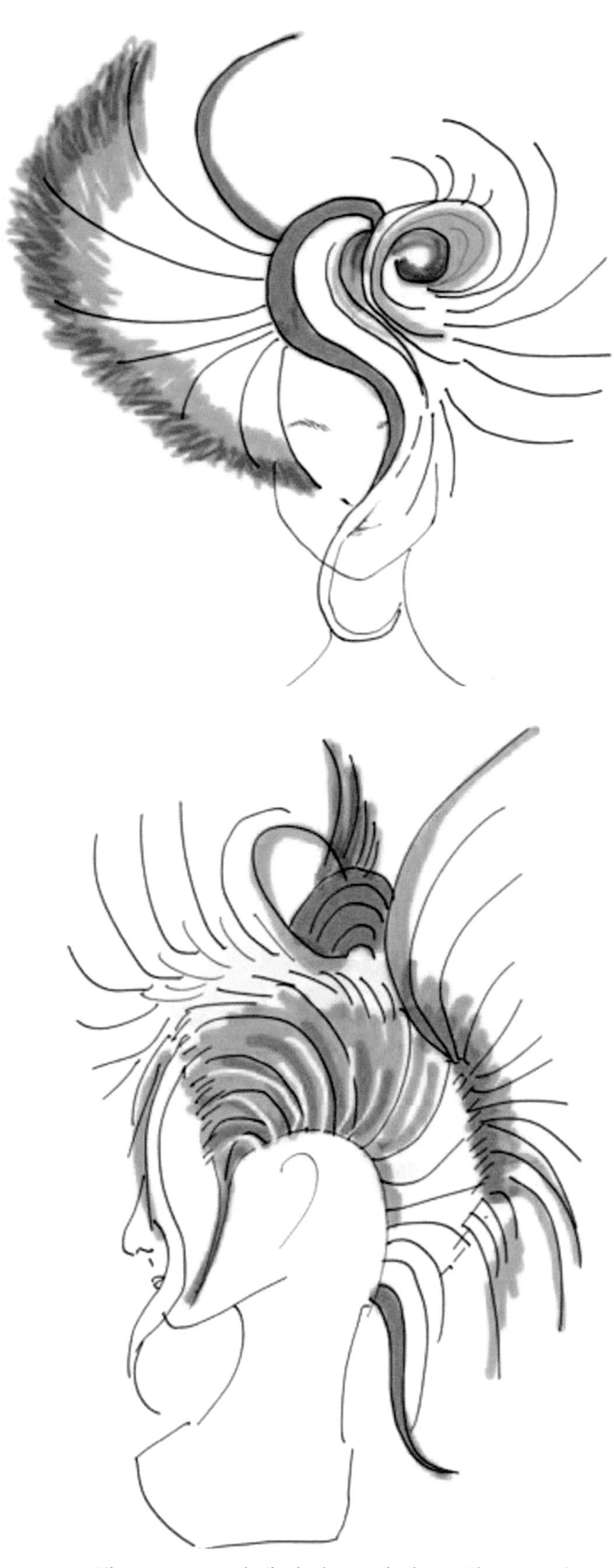

<도해도 4> 크리에이티브 컬러 도해도 분석

<도해도 4> 크리에이티브 컬러 도해도 분석 (R)

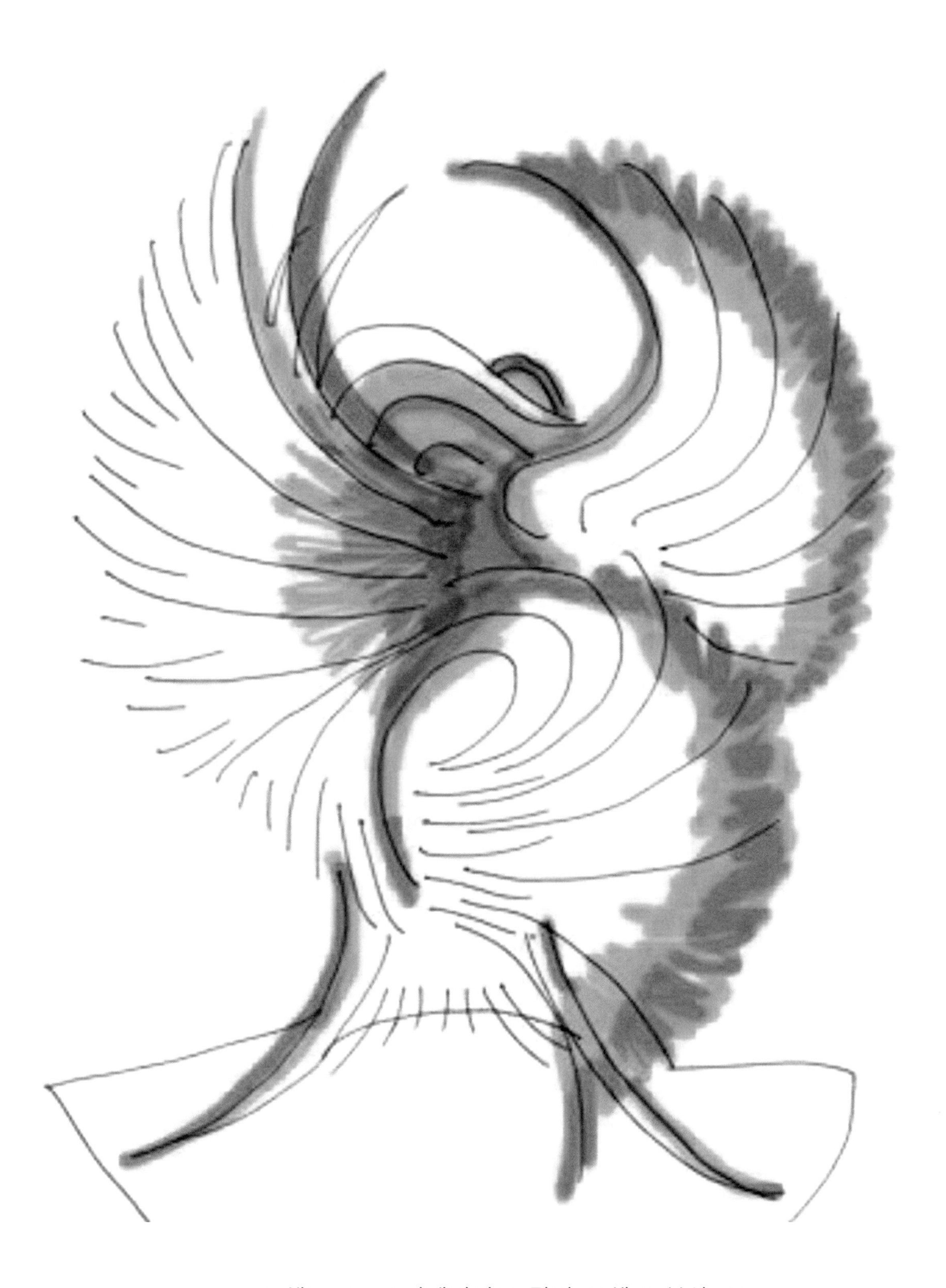

<도해도 4> 크리에이티브 컬러 도해도 분석 (B)

<도해도 4> 크리에이티브 컬러 도해도 분석 (F)

<도해도 4> 크리에이티브 컬러 도해도 분석 (L)

V. 컬러링- 3. 크리에이티브 컬러링 작업 과정

① 마네킨 스킨에 염모제가 묻지 않도록 보호 크림을 헤어라인에 도포해준다	② 도포 완료 모습	③ 유존(U-zone)을 버티컬로 3등분 해준다.

	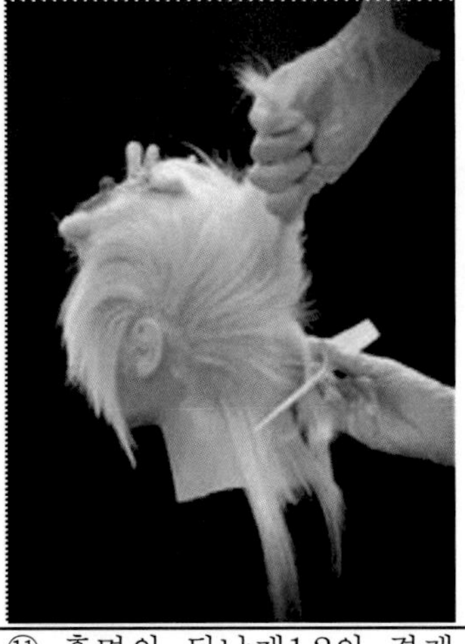	
⑩ 유존과 베이스 존(Base zone)이 섞이지 않도록 주의한다.	⑪ 후면의 뒷날개1,2의 경계라인을 B.P를 기점으로 나눠준다.	⑫ 후면 컬러 브로킹 완료 모습

⑬ 우측 베이스 존과 후면의 브로킹이 섞이지 않도록 주의한다.

⑭ 우측 베이스 존의 p.p점을 중심으로 세로 1cm폭의 태극 무늬의 섹션을 그어준다.

⑮ 전방으로 향하는 1cm의 태극 무늬의 C커브가 돋보이게 섹션 라인을 잡아준다.

⑯ 섹션을 클립처리했다면 하이라이트가 위치할 부분에 보호크림을 도포하여 뿌리 정돈 및 컬러착색방지 효과를 돕는다.

⑰ 오른쪽 베이스존 섹셔닝 완료 모습.

⑱ 베이스 존 섹셔닝 완료 모습

⑲ 주어진 섹셔닝들을 컬러 설계 도해도를 바탕으로 컬러링을 시작한다.

⑳ 연핑크 컬러를 선도포한다.

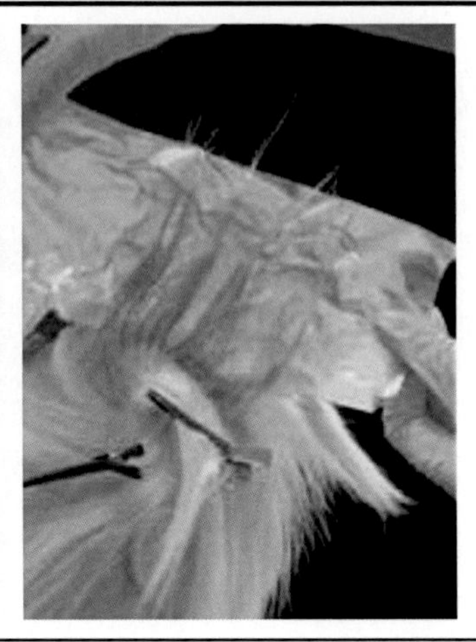

㉑
약액이 흐를 위험이 있으므로 양 조절에 주의한다.

㉒ 위로 향하게 호일워크를 진행 한다.

㉓ , ㉔ 하단의 연핑크도 도포한다.

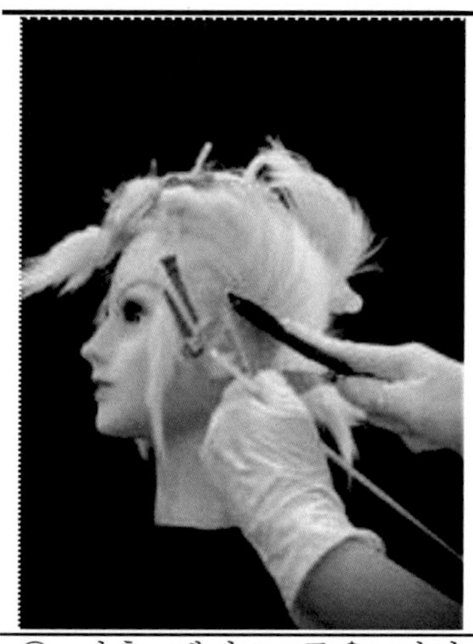	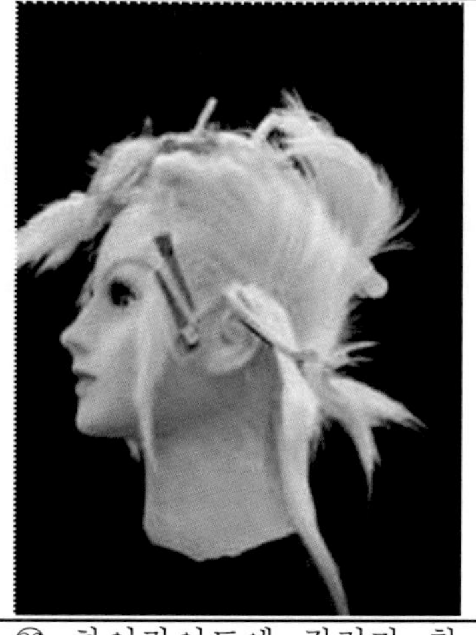	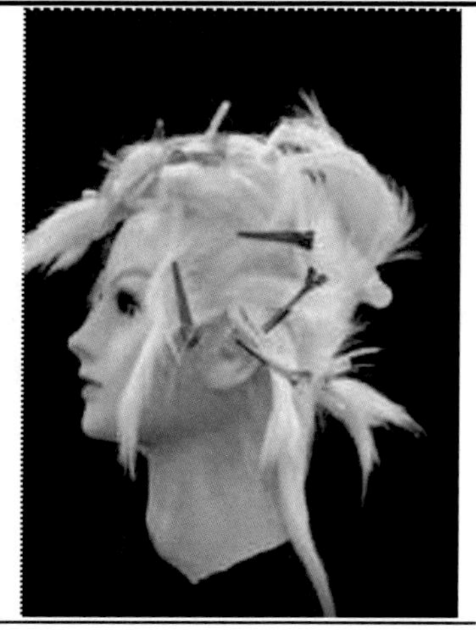
㉕ 좌측 베이스 존을 컬러 설계 도해도를 참고하여 헤어라인 1단을 섹셔닝한다.	㉖ 하이라이트에 컬러가 착색되지 않도록 보호크림을 도포해준다.	㉗ 좌측 베이스 존 섹셔닝 완료 모습

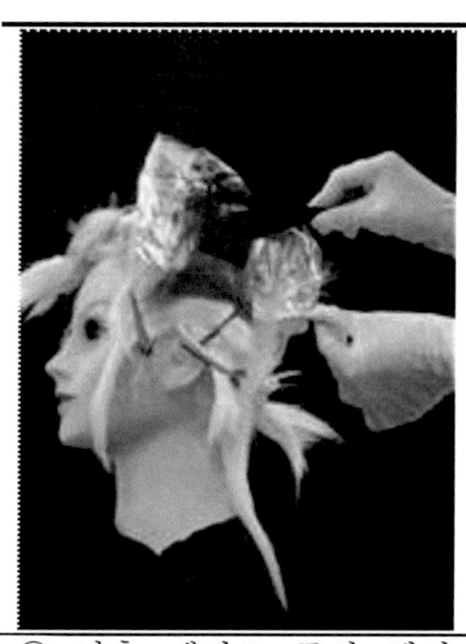		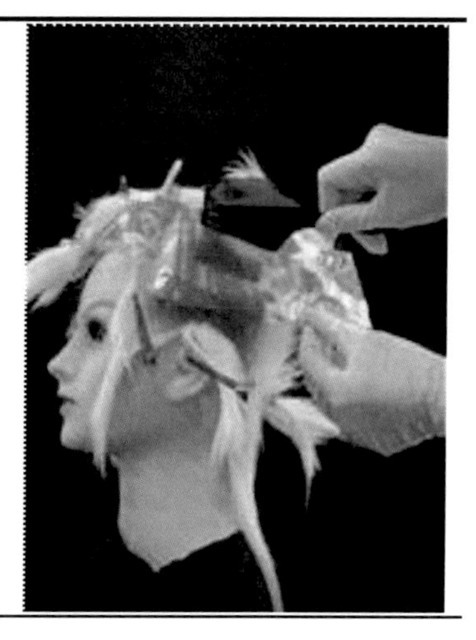
㉘ 좌측 베이스 존의 헤어라인 3등분 중 제일 위의 섹셔부터 짙은 핑크를 도포 해준다.	㉙ 흐르지 않도록 호일을 접어 준다.	㉚ 2번째 중간 섹션에는 연핑크를 도포 해준다.

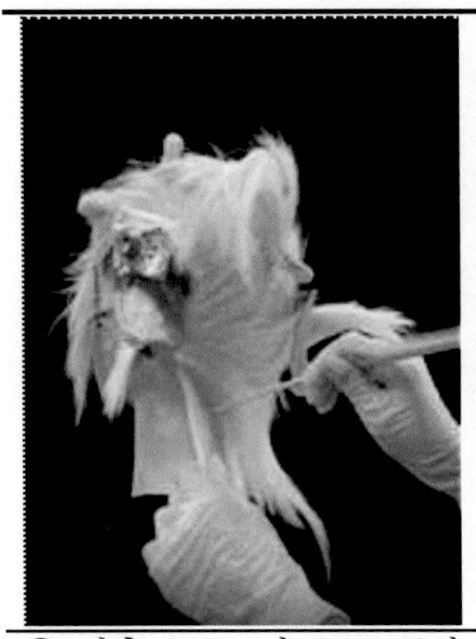	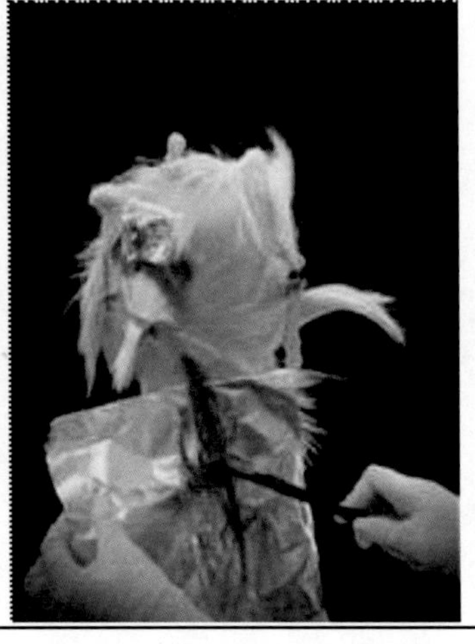	
㉛ 좌측 N.P코너 1cm 포인트 섹셔닝을 진행 한다.	㉜ 짙은 핑크를 도포해준다.	㉝ 반대쪽도 동일하게 진행한다.

	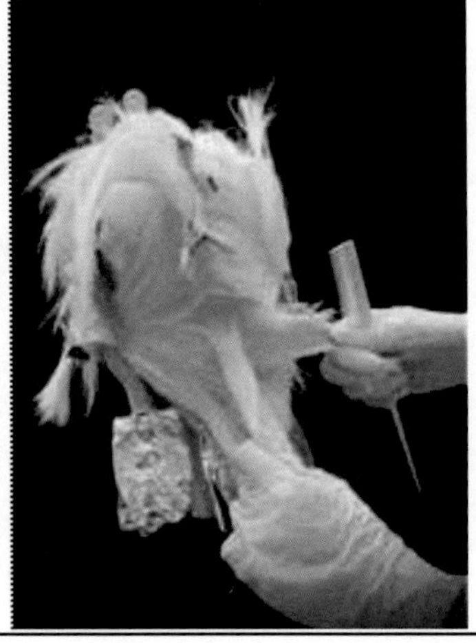	
㉞ N.P 헤어라인 1cm 폭을 섹셔닝 하여 연핑크를 도포해준다.	㉟ 후면 뒷날개 2 의 브로킹을 버티컬로 2등분 섹셔닝한다.	㊱ 2등분한 섹션 중 아래쪽 섹션을 먼저 호일위에 안착하고 뿌리쪽에 보호크림을 발라 준다.

㊲ 보호크림 위에는 연핑크를 도포한다.

㊳ 연핑크 위에 짙은 핑크를 도포해준다.

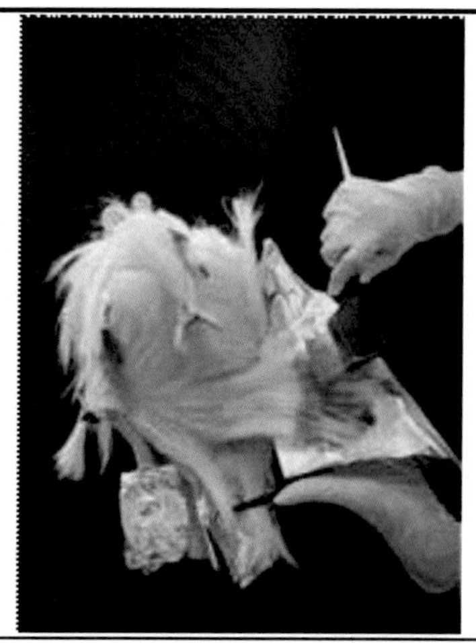

㊴ 2등분 한 나머지 섹션을 하단의 발라놓은 모발위에 얹어 아래 컬러를 가이드로 도포한다.

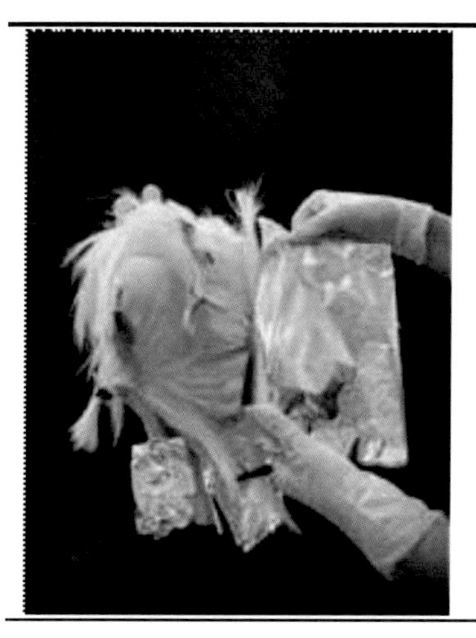

㊵ 호일을 조심히 접는다.

㊶ 뒷날개 2 컬러링 완료 모습

㊷ 뒷날개 1의 상위의 모발을 1cm간격으로 포인트 섹셔닝 해준다.

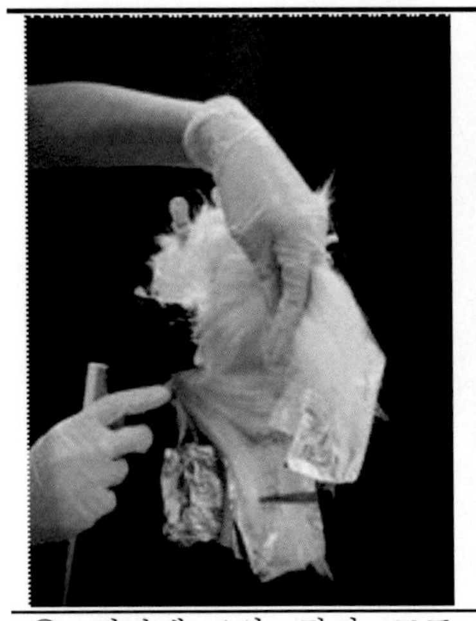

㊸ 뒷날개 1의 컬러 도포 전 좌측 베이스 존의 하이라이트가 컬러에 물들지 않도록 경계부분 뿌리에 보호크림을 도포해준다.

㊹ 도포 후 호일을 덧대어 2차 커버로 착색을 방지한다.

㊺ 뒷날개 2와 마찬가지로 뒷날개 1도 버티컬로 2등분한다.

㊻ 뒷날개 1은 뿌리 6cm를 띄우고 보호크림을 도포한다.

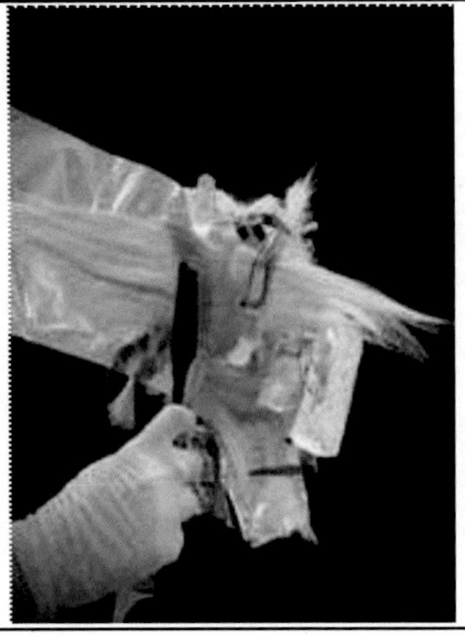

㊼ 뿌리 3cm를 띄우고 연핑크를 도포한다.

㊽ 연핑크 도포 완료 모습

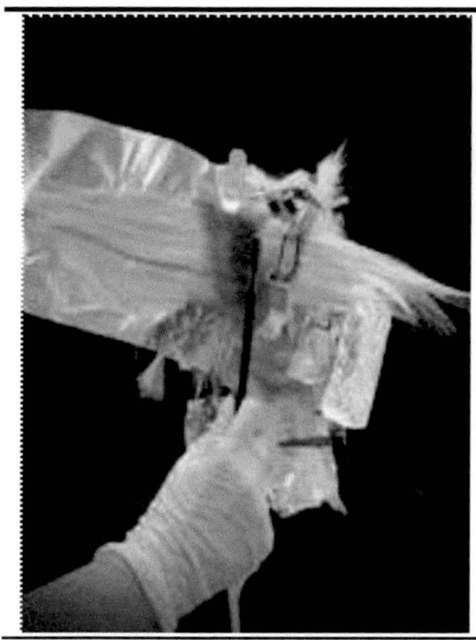

㊾ 나머지 뿌리 부분에 짙은 핑크를 도포한다.

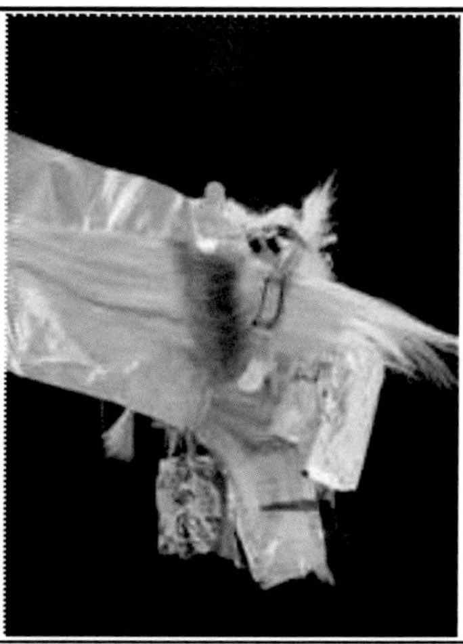

㊿ 뒷날개 1, 아래 섹셔닝 컬러링 완료 모습

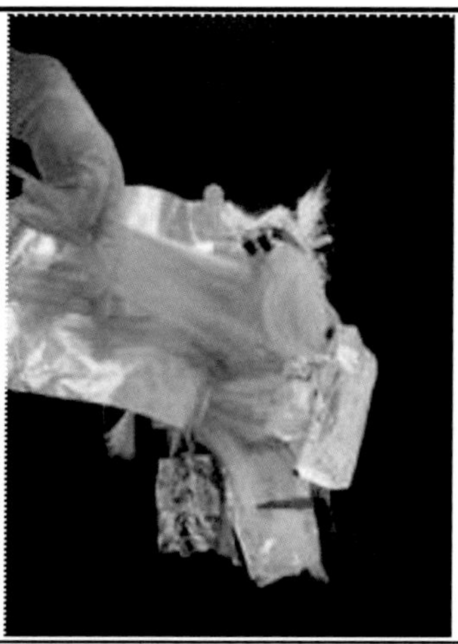

(51) 마찬가지로 겉단을 얹어서 아래와 같이 컬러링 한다.

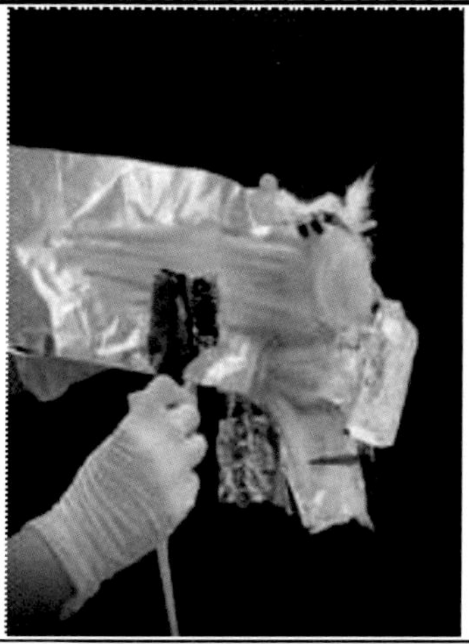

(52) 겉단 하이라이트 보호크림 도포

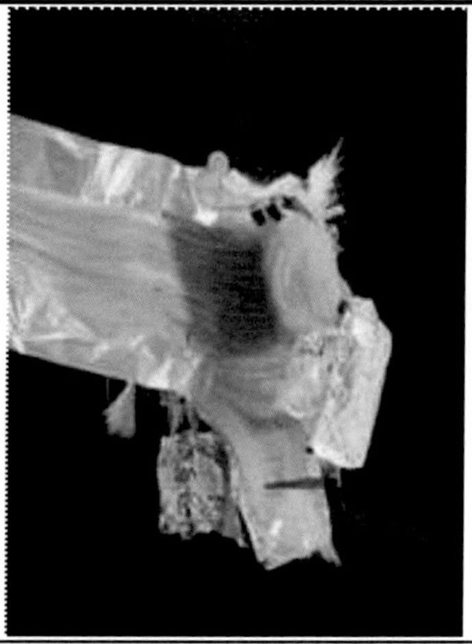

(53) 연핑크-짙은핑크 순으로 도포 한다.

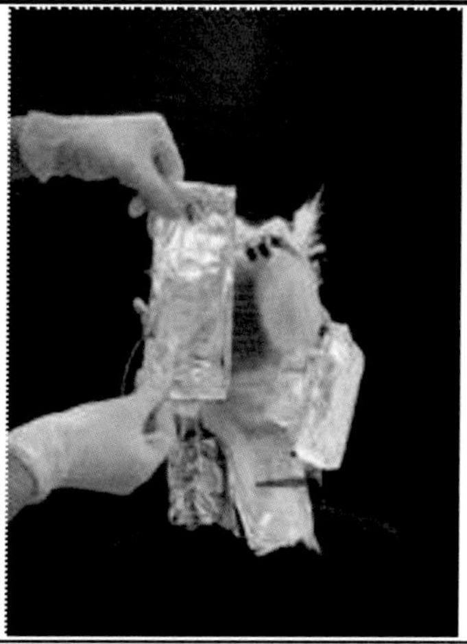

(54) 도포 후 호일을 반 접어준다.

⑮ 컬러링 완료 모습	⑯ 뒷날개 1의 포인트 매쉬 2개도 아래부터 연핑크를 도포한다.	⑰ 위쪽의 포인트 매쉬는 짙은 핑크를 도포한다.

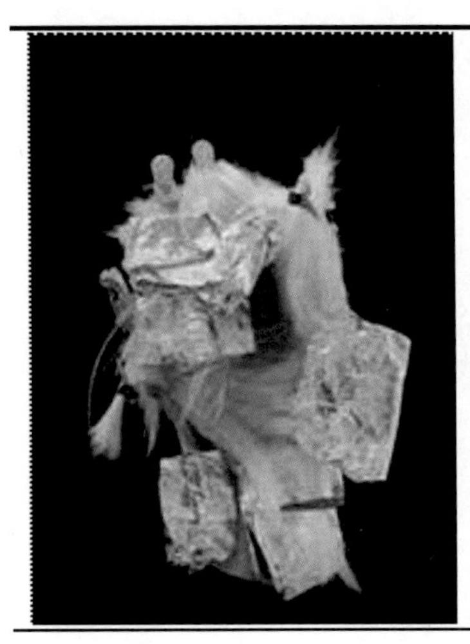		
⑱ 후면 전체 컬러링 완료 모습	⑲ 유존의 버티컬 브로킹의 우측 1번째 섹션부터 컬러링 한다.	⑳ 후면의 1cm를 포인트 매쉬로 섹셔닝한다.

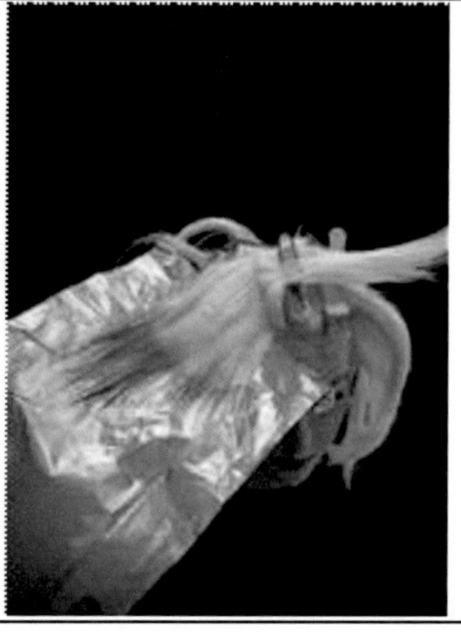

⑥① 섹션을 2단 나눠 아래부터 도포한다.	⑥② 하이라이트의 보호크림을 먼저 도포하여 호일에 모발을 안착시킨다.	⑥③ 연핑크- 짙은핑크 순으로 끝을 향해서 도포한다.

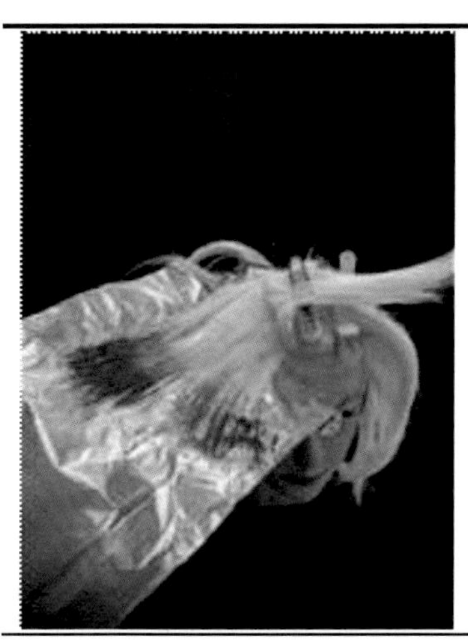

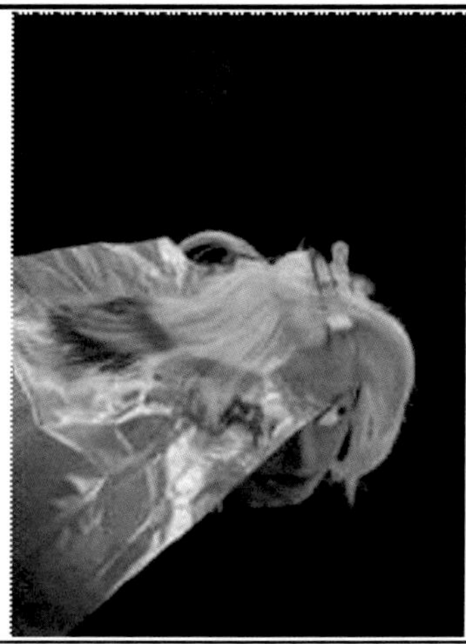

⑥④ 컬러링 완료 모습	⑥⑤, ⑥⑥ 윗 단을 얹어 아랫단을 가이드로 컬러링을 도포한다.

⑥⑦ 도포 후 호일을 접어준다.	⑥⑧ 빼놓은 포인트 매쉬에 연핑크와 짙은 핑크를 도포한다.	⑥⑨ 도포 후 다른 모발에 물들지 않게 잘 감싸 호일링한다.

⑦⓪ 유존의 가장 좌측에 위치한 버티컬 섹션의 후면 부분의 1cm간격의 포인트 매쉬를 섹셔닝한다.	⑦① 뿌리 부분에 보호 크림을 발라준다.	⑦② 빼 놓은 포인트 매쉬가 대각으로 향하도록 빗질하여 연핑크를 도포한다.

⑬ 연핑크 후 짙은 핑크를 이어서 발라준다.

⑭ 중간 버티컬 섹션은 마네킨의 우측을 향하도록 뿌리를 밀어 빗질하여 드라이와 같은 흐름을 만든다.

⑮ 뿌리 흐름을 만들어 준 후, 가장 후면의 포인트 매쉬 가닥을 섹셔닝 한다.

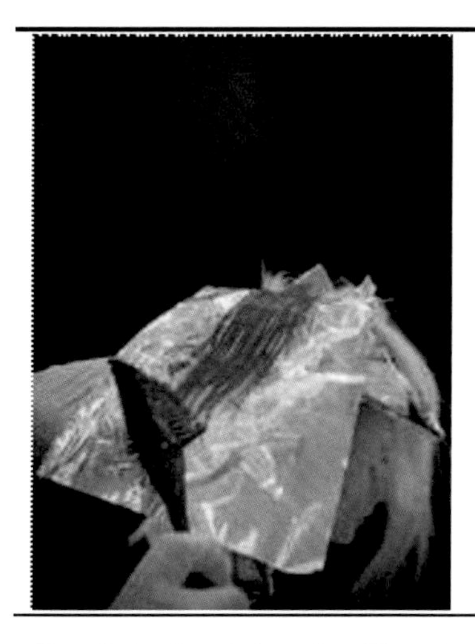

⑯ 가닥에 짙은 핑크를 전체 한 줄 도포해준다.

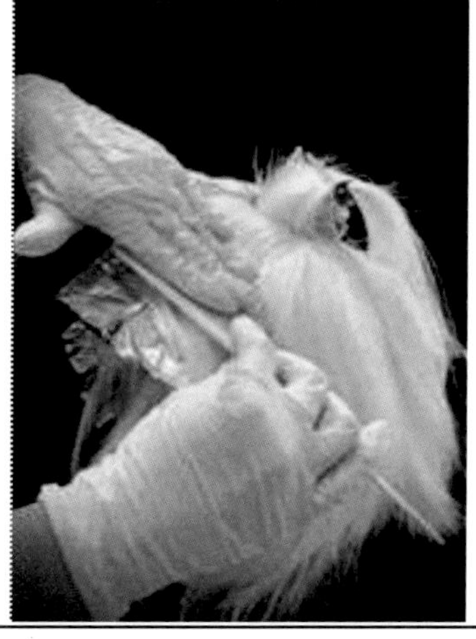

⑰ 다시 한번 흐트러진 뿌리를 빗질 한다.

⑱ 뿌리를 빗질 하였을 때, T.P에 위치한 섹션을 1cm를 떠준다.

⑦⑨ 뿌리 0.5cm 연핑크를 도포한다.

⑧⓪ 뿌리 0.5cm를 띄우고 짙은 핑크를 도포한다.

⑧① 컬러링 완료 모습

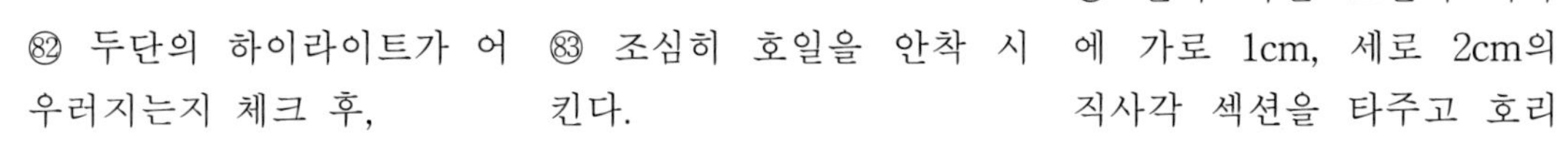

⑧② 두단의 하이라이트가 어우러지는지 체크 후,

⑧③ 조심히 호일을 안착 시킨다.

⑧④ 안착 시킨 호일의 좌측에 가로 1cm, 세로 2cm의 직사각 섹션을 타주고 호리존탈로 2등분한다.

⑮ 뒤쪽에 위치한 섹션은 짙은핑크를 도포한다.

⑯, ⑰ 앞쪽에 위치한 섹션은 전방 대각으로 끌고 와서 2등분 한다.

⑱ 2등분한 섹션에 각각 연핑크와 짙은 핑크를 도포 후 호일링한다.

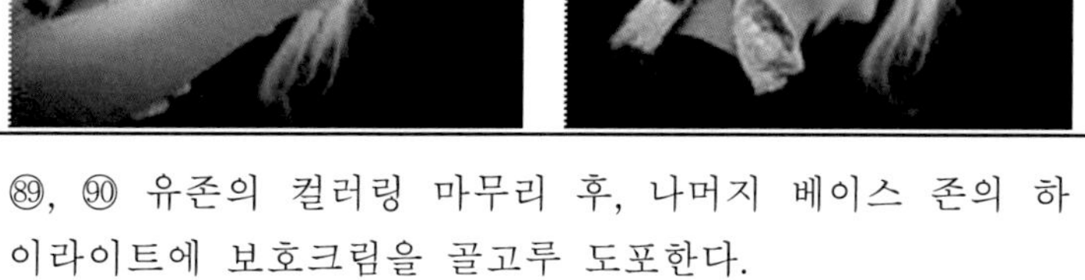

⑲, ⑳ 유존의 컬러링 마무리 후, 나머지 베이스 존의 하이라이트에 보호크림을 골고루 도포한다.

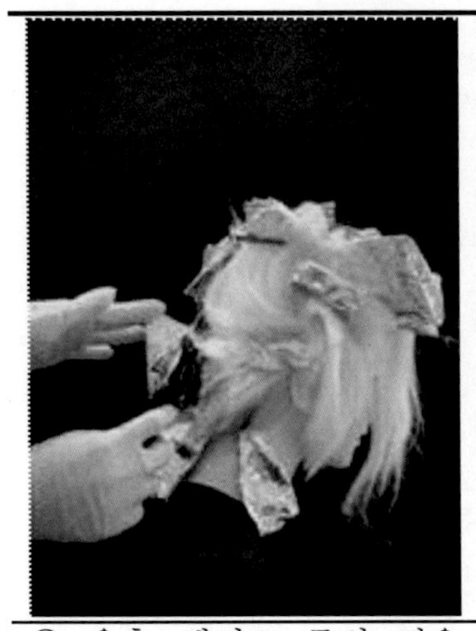
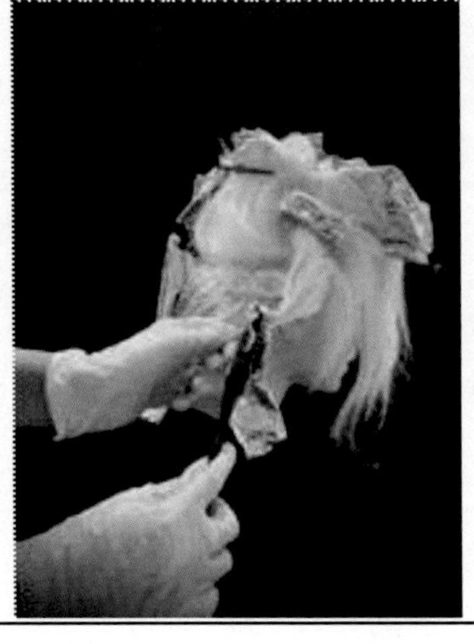

⑪ 우측 베이스 존의 짙은 핑크 컬러링 존을 제외한 부분에 섬세하게 보호크림을 도포한다.

⑫ 모발의 끝까지 보호크림을 발라준다.

⑬ 짙은 핑크 존의 컬러링을 조심히 진행한다.

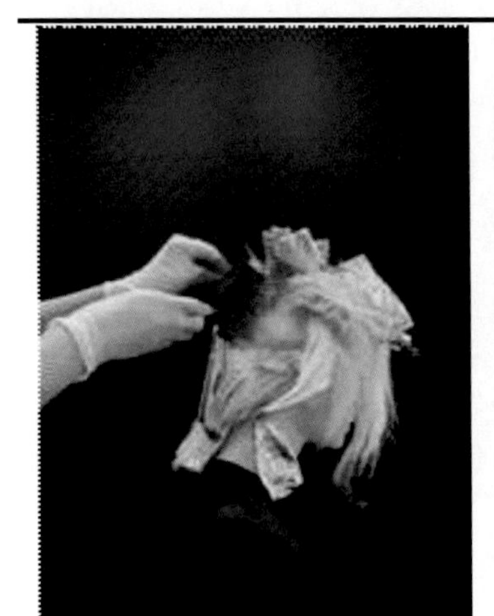
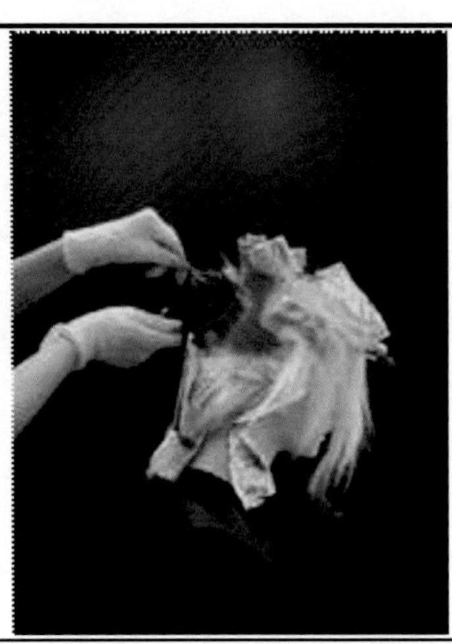

⑭, ⑮, ⑯ 짙은 핑크 존과 구레나룻까지 짙은 핑크를 도포한다.

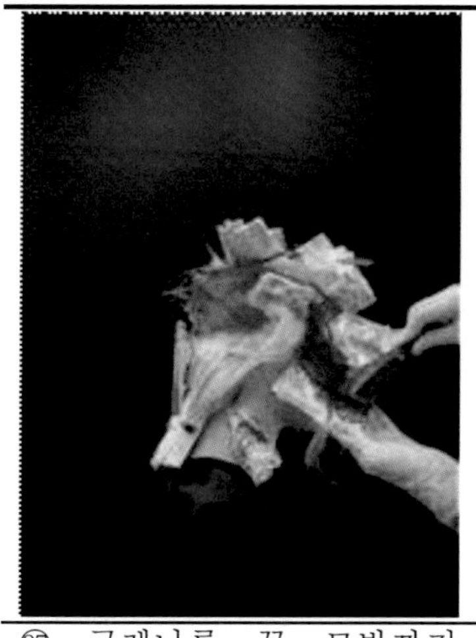

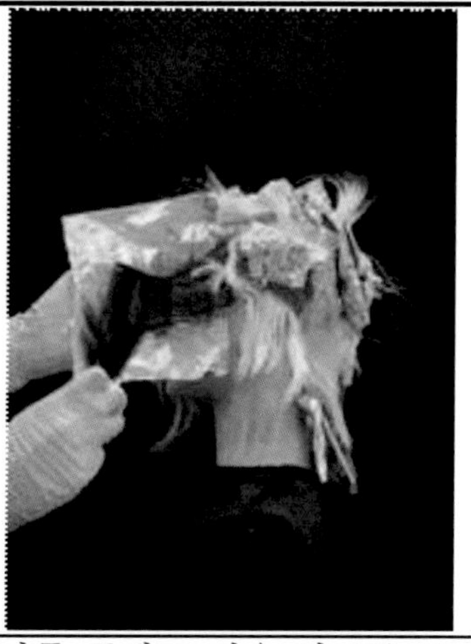

⑨⑦ 구레나룻 끝 모발까지 도포한다.

⑨⑧, ⑨⑨ 우측 베이스존의 구레나룻 존에도 짙은 핑크를 도포한다.

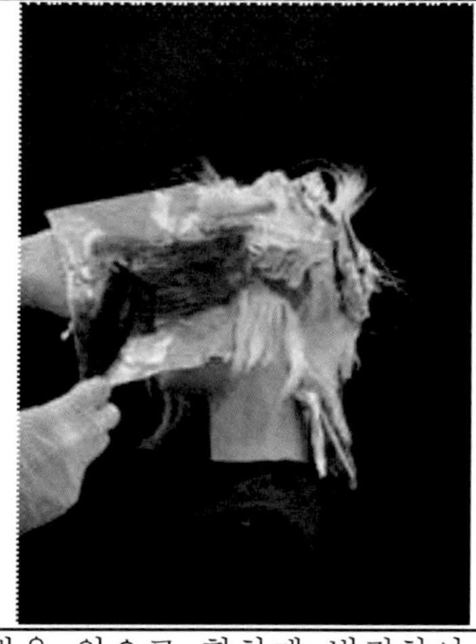

⑩⓪ 모발을 앞으로 향하게 빗질하여 컬러를 선명하게 도포해준다.

⑩① 좌측 베이스 존 컬러링 완료 모습'

CHAPTER 06

Ⅵ. 드라이 및 스타일링

1. 블로우드라이와 헤어 스타일링의 정의 및 이론

1-1. 블로우드라이의 정의

1-2. 블로우드라이의 원리

1-3. 블로우드라이 영향요소

1-4. 헤어 스타일링의 정의

1-5. 헤어 스타일링의 주의사항

2. 크리에이티브 드라이 일러스트

3. 크리에이티브 드라이 및 스타일링 작업과정

4. 크리에이티브 완성 도면

Ⅳ. 드라이 및 스타일링

- 1.블로우드라이와 헤어스타일링의 정의 및 이론

1. 블로우드라이와 헤어 스타일링의 정의 및 이론

1-1 블로우드라이의 정의

블로우드라이(Blow day)는 헤어 드라이어를 사용하여 머리카락을 건조하고 스타일링하는 것을 말한다. 블로우드라이는 헤어 드라이어의 뜨거운 바람을 이용하여 머리카락을 건조하면서 동시에 스타일링하는 기술로, 머리카락을 매끄럽게 하거나 볼륨을 더하거나 웨이브를 만드는 등 다양한 스타일을 만들 수 있다는 특징이 있고 헤어 스타일링을 완성하는 중요한 과정 중 하나이다.

1-2 블로우드라이의 원리

블로우드라이의 원리는 드라이어의 열풍, 온풍, 냉풍을 이용하여 모발의 구조에 일시적인 변화를 주어 스타일을 형성하는 방법으로 모발과 수분이 만날 시 모발 내의 측쇄결합 중 하나인 수소결합이 일시적으로 절단되게 되고 모발이 마르면 다시 재결합이 이루어지는 원리이다. 이러한 원리를 기본으로 열풍을 이용하여 모발 내 수분의 증발과 물리적인 힘으로 새로운 형태의 모양을 형성한다. 우리가 흔히 알고 있는 스타일링은 대분류인 웨이브(Wave)와 스트레이트(Straight), 컬(Curl)은 앞서 설명한 과정에서의 염결합과 수소결합의 재결합으로 새로운 형태가 만들어져 모발의 변화를 일으키는 것이다.

1-3 블로우드라이 영향 요소

완성도가 높고 조화로운 블로우 드라이의 완성을 위해서는 이론적인 지식이 필수적이다. 대표적으로 블로우드라이에 영향을 미치는 요인에 대해서 이해를 해야한다. 블로우 드라이에 영향을 미치는 요인은 <표 13> 과 같이 수분, 온도, 브러쉬(Brush)의 종류, 브러싱의 속도, 회전각도, 텐션(Tension), 패널(Panel)의 크기, 패널의 각도 등이 있다. 수분은 일시적인 헤어스타일링 시 영향을 끼치는 수소결합에 관련이 되어 있기 때문에 블로우 드라이로 일시적인 헤어스타일링을 연출할 때 수분이 필요하다. 드라이 시 필요한 수분의 양의 때마다 다르지만 15~20%의 정도가 평균적이다. 모발의 수분의 양이 과도하게 건조하거나 과하면 모발의 손상 및 드라이의 연출이 어려울 수 있다.

온도는 모발에 열을 가하면 열이 식으면서 원하는 형태의 고정과 연계되어 헤어스타일을 연출할 수 있다. 일반적인 드라이기는 열풍과 온풍, 냉풍을 모두 사용 가능하기 때문에 헤어스타일을 연출하기 위해 드라이기를 사용할 때는 열풍을 먼저 가한 후 냉풍을 이용하여 고정하면 좀 더 탄력있고 유지력 있는 헤어스타일링을 연출 할 수 있다.

브러쉬는 다양한 종류가 있고 형태, 크기, 재질로 분류가능하며 원하는 헤어스타일의 느낌에 따라서 브러쉬 종류의 형태가 달라진다. 보편적으로 스트레이트를 연출 시 큰 브러쉬를 사용하고 웨이브나 컬을 만들 때에는 작은 브러쉬를 사용한다. 또한 긴 기장의 모발을 드라이 시 큰 브러쉬, 짧은 기장의 모발 드라이 시 작은 브러쉬를 사용한다. 시술자의 선택으로 브러쉬를 결정하여 적절하게 사용한다.

브러싱의 속도는 곧 열의 전도율과 직결되어 있다. 때문에 모발의 윤기와 매끈도를 좌우하며 브러싱의 속도의 정도를 적절하게 사용치 못한다면 곱슬머리나 강모, 혹은 손상모의 드라이 결과물을 좌우 할 수 있다.

회전각도는 표현하고자 하는 헤어스타일에 맞는 회전각도를 설정하여 모발을 감아 드라이 및 스타일링을 한다. 스트레이트는 회전을 하지 않으며, C컬은 반바퀴~한바퀴, J컬은 스트레이트와 C컬의 회전각도가 혼합되어 있음을 알 수 있다. 마지막으로 S컬은 두바퀴 이상의 회전각도가 필요하므로 원하는 스타일링 결과물에 따라 회전각도가 달라진다.

텐션은 모발 질감과 결이 매끈도와 탄력도에 직결되는 요소이다. 웨이브를 형성할 때 적절한 텐션없이 스타일링이 이루어지면 웨이브의 유지력이 저하되고 형태감이 탄력없이 늘어져 만족도가 떨어진다. 또한 과도한 텐션은 모발의 손상을 야기하고 균일한 형태를 만들지 못하므로 적절한 텐션 조절 훈련이 필요하다.

패널의 크기는 폭과 너비에 의해 결정되는데 수평과 수직 패널에 따라 다른 느낌의 드라이가 연출되며 수평으로 패널 설정 시 브러쉬나 아이론보다 넓으면 적절한 드라이가 어려우며 반면 너무 좁을 시 시술시간의 과다연장으로 악영향을 끼칠 수 있다. 패널의 크기는 연출하고자 하는 스타일과 브러쉬 및 아이론의 사이즈 및 고객의 모량을 고려하여 설정한다.

패널의 각도에 따라서 볼륨의 정도가 정해진다. 모근에 충분한 각도와 열이 함께 전도되어야지만이 볼륨감이 형성되고 두상의 형태와 두상위치에 따른 각도를 인식하여 패널의 각도를 조정해야 한다. 패널의 각도 역시 완성하고자 하는 스타일에 맞추어 조절하도록 한다.

<table>
<tr><td rowspan="8">블로우드라이
영향 요소</td><td>수분</td><td>-</td></tr>
<tr><td>온도</td><td>-</td></tr>
<tr><td rowspan="6">브러쉬, 아이론</td><td>브러쉬(Brush)의 종류</td></tr>
<tr><td>브러싱의 속도 (열 전도 속도)</td></tr>
<tr><td>회전각도</td></tr>
<tr><td>텐션(Tension)</td></tr>
<tr><td>패널(Panel)의 크기</td></tr>
<tr><td>패널의 각도</td></tr>
</table>

<표 13> 블로우드라이 영향요인 분류

1-4 헤어 스타일링의 정의

헤어 스타일링(Hair styling)은 개인의 취향과 목적에 맞게 머리카락을 다듬고, 스타일링 제품을 사용하여 원하는 스타일로 만드는 과정을 말하며 헤어 스타일링은 머리카락의 길이, 두께, 텍스처, 얼굴형 등을 고려하여 다양한 스타일로 연출할 수 있다. 다양한 기술과 도구를 사용하여 이루어진다. 예를 들어, 브러시, 빗, 컬링 아이론, 스트레이트너, 헤어스프레이, 젤, 무스 등의 제품을 사용하여 머리카락을 스타일링 할 수 있으며 헤어 스타일링은 개인의 이미지와 자신감을 높여주는 중요한 요소 중 하나이므로 다양한 스타일과 트렌드를 반영하면서도 개인의 개성과 특징을 잘 살릴 수 있도록 하는 것이 중요한다. 또한 전문적인 헤어 디자이너의 기술로 표현하는 C,S컬의 흐름이 중요하다.

1-5 헤어스타일링의 주의사항

1. 열 손상: 머리카락을 건조하거나 스타일링 할 때 열을 사용하는 경우, 열로 인해 모발이 손상될 수 있으므로 모발의 손상도와 연계하여 열 보호 스프레이나 세럼을 사용하여 머리카락을 보호하고, 열 도구의 온도를 적절하게 조절하는 것이 좋습니다.

2. 스타일링 제품의 사용: 스타일링 제품을 사용할 때는 적절한 양의 사용과 모발에 과도한 제품을 사용하지 않도록 주의해야 하며 과도한 제품은 모발이 무거워지고 완성된 입체감의 흐름이 쳐지므로 다양한 상황을 숙지하여 사용하여야 한다.

3. 과한 잔 빗질:: 너무 과하게 수정 스타일링을 하거나 과하거나 딱딱한 C,S컬을 나타내는 스타일링을 하면 조화로운 표현이 불가할 수 있으므로 모발의 뿌리와 전체적인 흐름선을 숙지하여 과한 수정 스타일링 없이 진행하여야 한다.

4. 적절한 브러싱: 머리카락을 브러싱할 때는 부드러운 브러시를 사용하고, 조심스럽게 브러싱해야 합니다. 너무 강한 압력으로 브러싱하면 모발이 끊어지거나 컬감이 늘어질 수 있다.

MEMO

IV. 드라이 및 스타일링- 2.크리에이티브 드라이 일러스트

크리에이티브 드라이 일러스트는 컬러링 설계와 커트의 구상을 위해서 필수적이며 컬러링 일러스트와 동일하다.

Ⅳ. 드라이 및 스타일링

- 3. 크리에이티브 드라이 및 스타일링 작업과정

1, 2, 3, 4 샴푸 후 가볍게 물기를 제거한다.

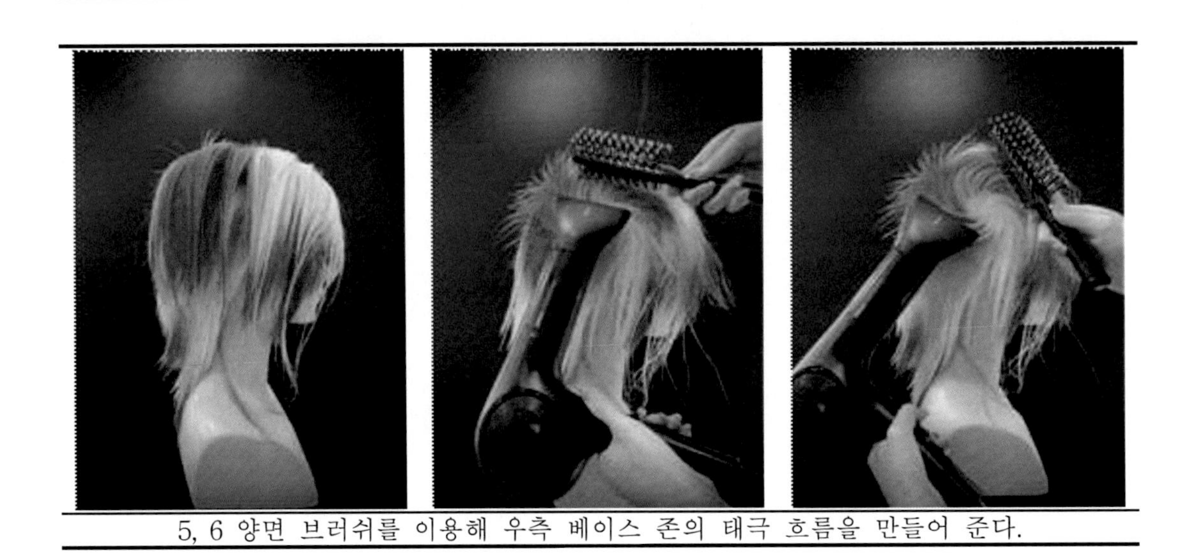

5, 6 양면 브러쉬를 이용해 우측 베이스 존의 태극 흐름을 만들어 준다.

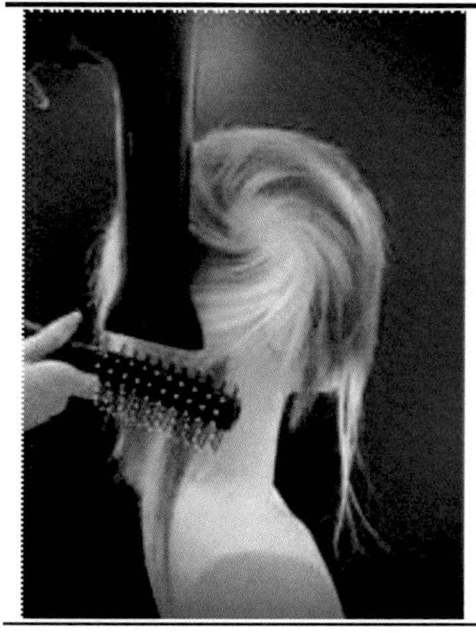

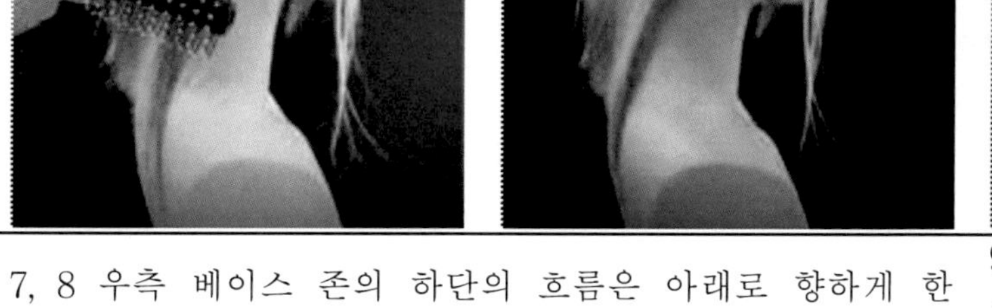

7, 8 우측 베이스 존의 하단의 흐름은 아래로 향하게 한다.

9 좌측 사이드는 전방으로 향하는 C커브가 돋보이게 흐름을 잡아 준다.

10 좌측 귀를 중심으로 방사로 퍼지게 드라이 해준다.

11,12 뒷날개 1의 뿌리를 위로 올려 드라이 한다.

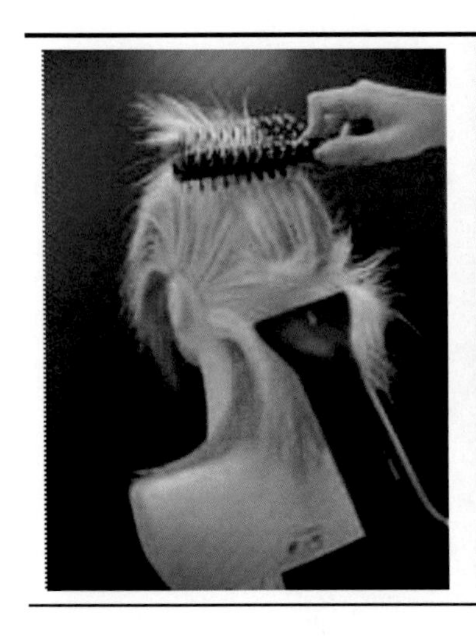

13 뒷날개 2의 뿌리도 위로 올려 준다.

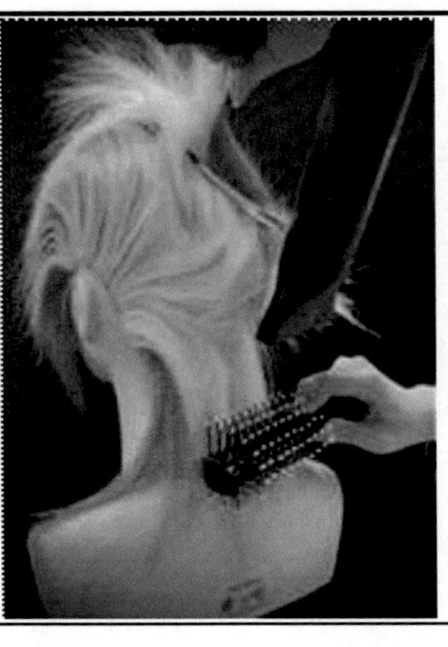

14 N.P 섹션의 컨케이브 커트선이 형성될 부분을 내려 드라이해준다,

15 뒷날개 1, 2의 브로킹과 평행하게 양면브러쉬가 들어가 뿌리의 C커브를 형성해준다.

16 2차로 브로킹과 수직으로 양면 브러쉬를 넣어 뿌리의 입체감을 넣어준다.

17,18 드라이 후 뿌리가 휘어지지 않도록 클립으로 구역을 나눠 고정해준다.

19 유존(U-ZONE)을 버티컬로 3등분 하여 우측 섹션부터 드라이 진행 한다.

20 모발 뿌리의 수분 날림과 대각방향으로 흐름이 잡히도록 뿌리 드라이 한다.

21 브로킹과 평행하게 들어가 양면브러쉬로 C커브의 흐름을 주고 회전하여 브러쉬를 뺀다.

22 유존 첫 섹션 1차드라이 완료 모습

23 컬의 흐름이 부족한 부분이 있다면 수정 해준다.

24 2번째로 우측 첫 번째 섹션을 드라이 한다.

25, 26, 27 양면 브러쉬가 뿌리 가까이 들어가 빗의 포지션을 바꾸어 C커브를 형성 한다

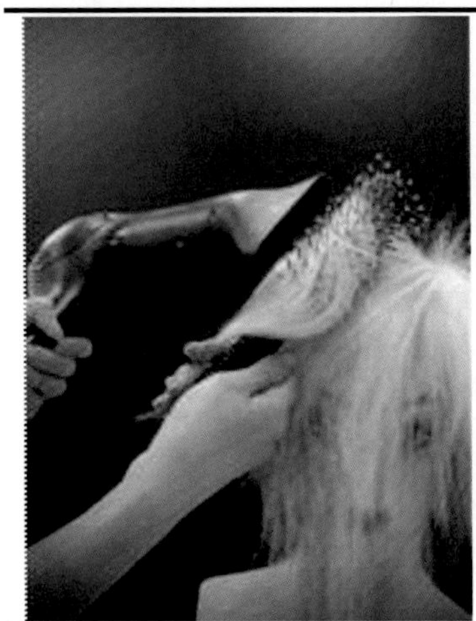

28 유존의 가운데 섹션은 뿌리의 커브가 좌측을 향하게 꺾어 드라이 해준다.

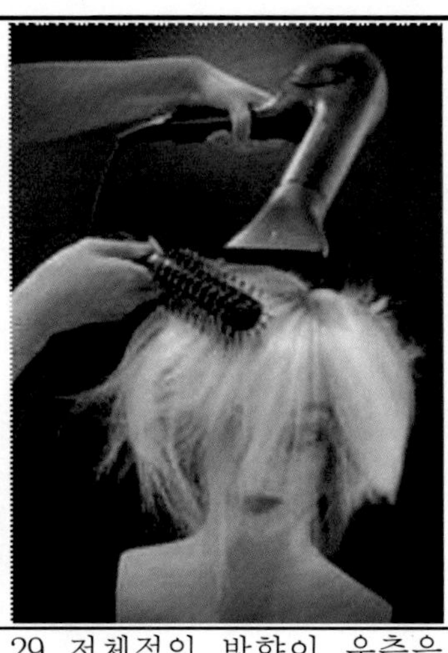

29 전체적인 방향이 우측을 찍고 좌측으로 향하게 뿌리를 눌러준다.

30 작은 소라가 나올 부분을 섹셔닝 해준다.

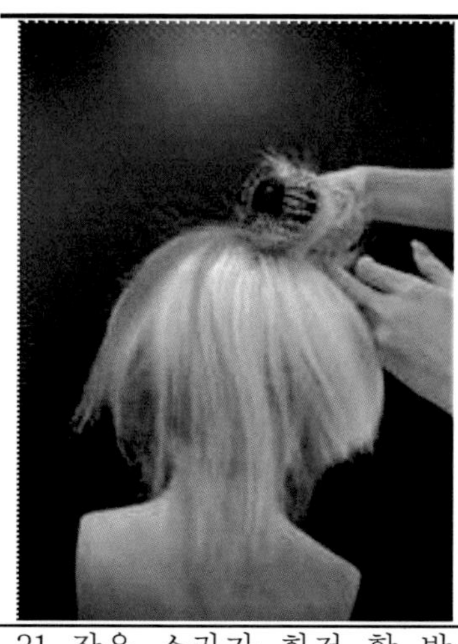

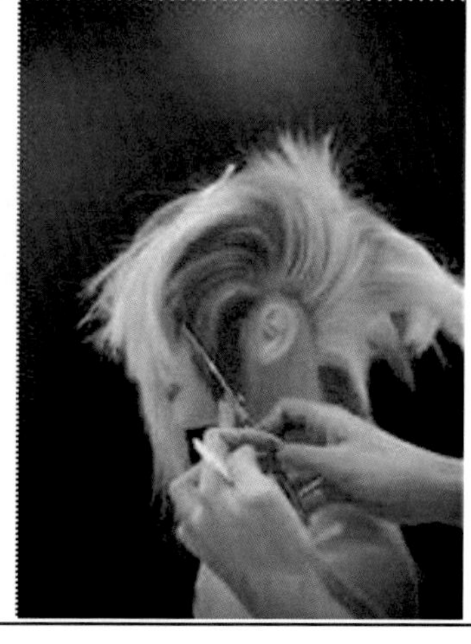

31 작은 소라가 회전 할 방향대로 브러쉬를 돌려 흐름을 형성 한다.

32, 33, 34 1차 드라이 후, 베이스 존의 아웃라인들을 틴닝과 블런트를 이용하여 정리 한다.

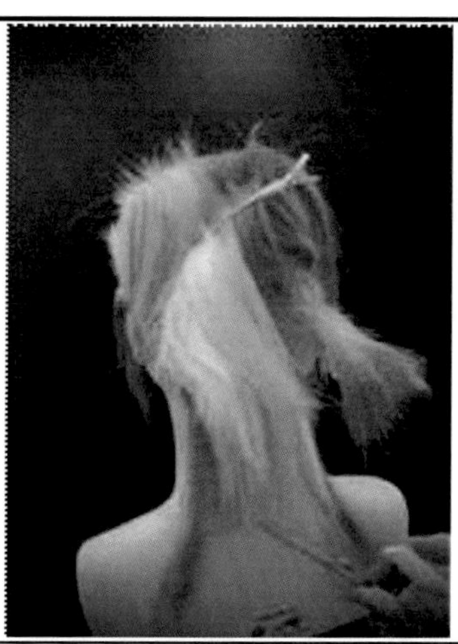

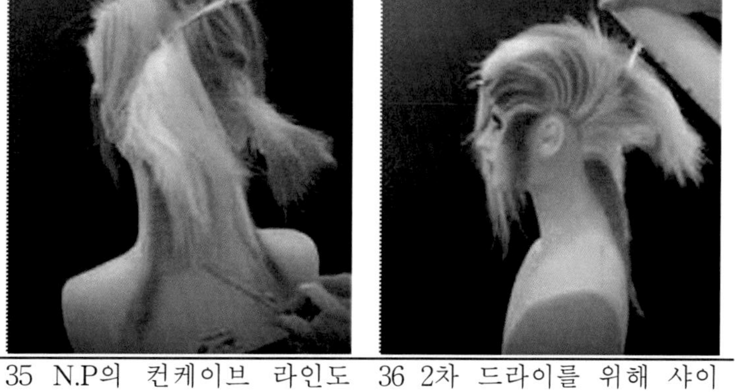

35 N.P의 컨케이브 라인도 정리해준다..

36 2차 드라이를 위해 샤이닝스프레이를 분사한다.

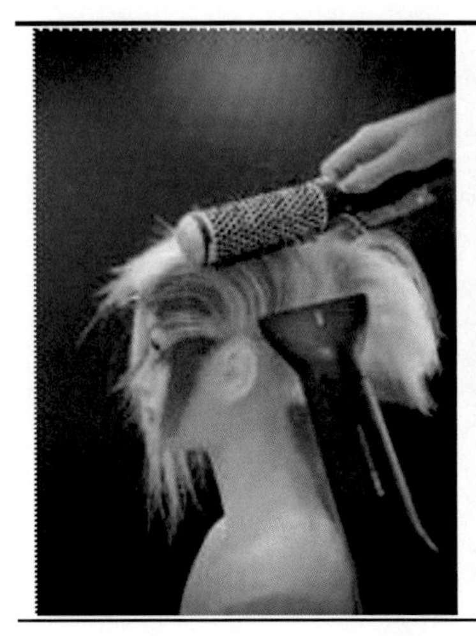

37, 38, 39 롤 브러쉬를 이용하여 좌측과 우측 베이스 존의 흐름을 1차 드라이와 동일한 흐름으로 잡는다.

40 우측 베이스 존의 구레나룻도 앞을 향하게 드라이 후 결을 잡아준다.

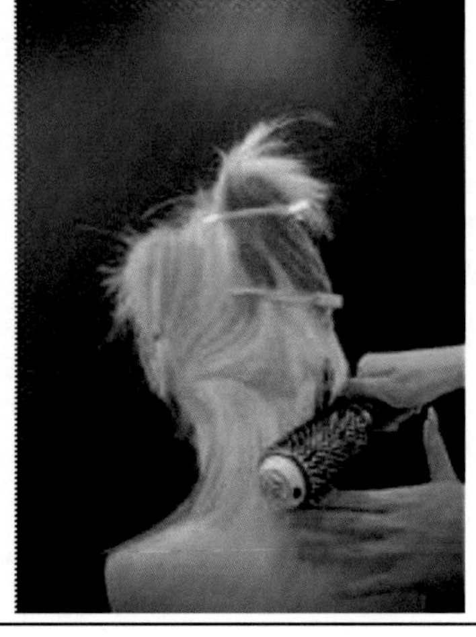

41, 42, 43 N.P 부분도 롤 브러쉬로 눌러 준다.

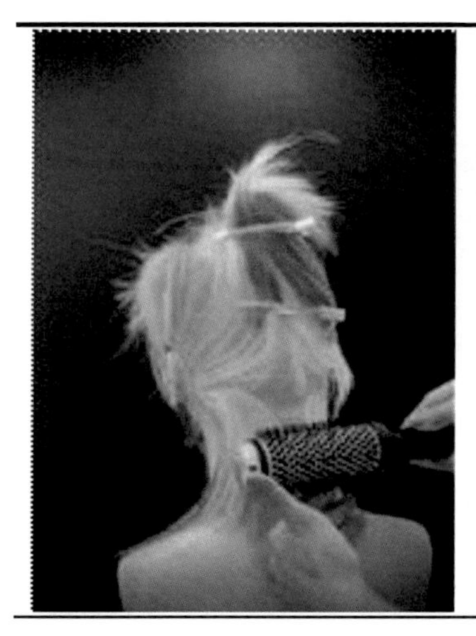

44 뒷날개 1의 아웃라인을 틴닝으로 정리해준다..

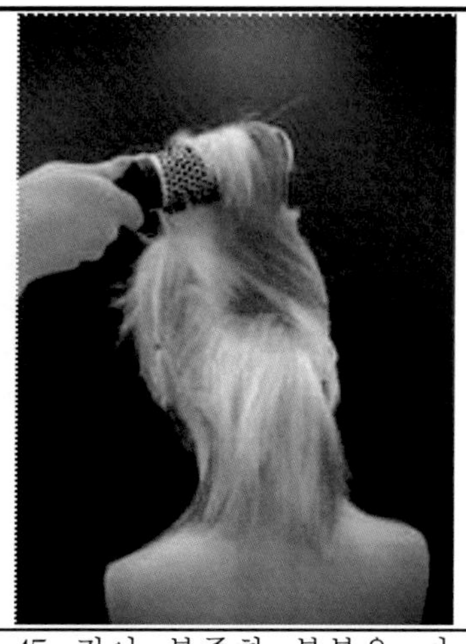

45 컬이 부족한 부분은 마찬가지로 롤 브러쉬로 수정한다.

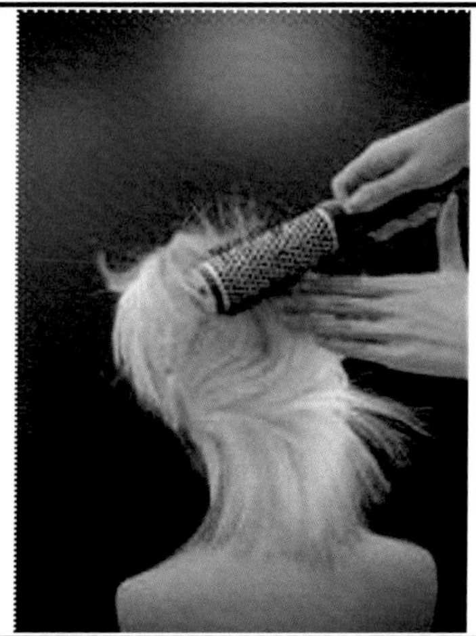

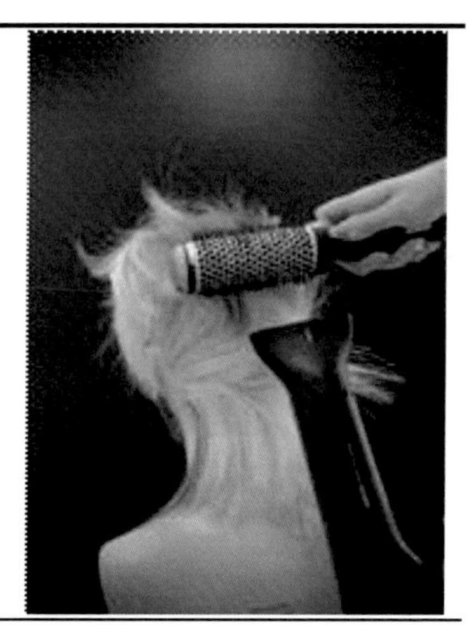

46, 47, 48 양면 브러쉬로 뿌리 흐름을 잡아준다.

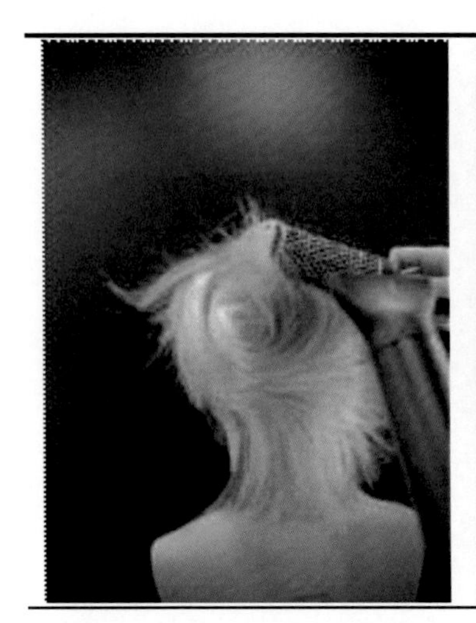

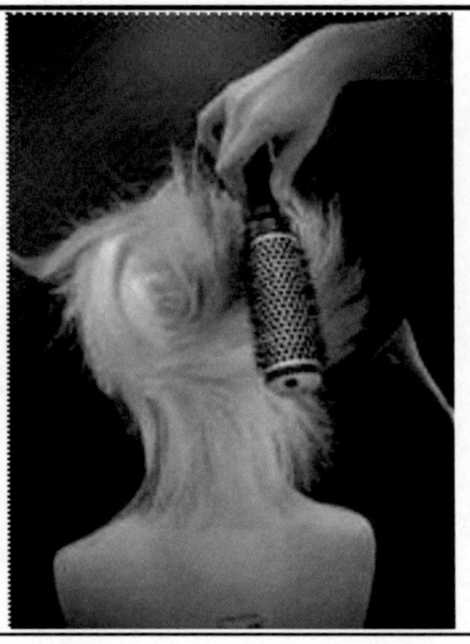

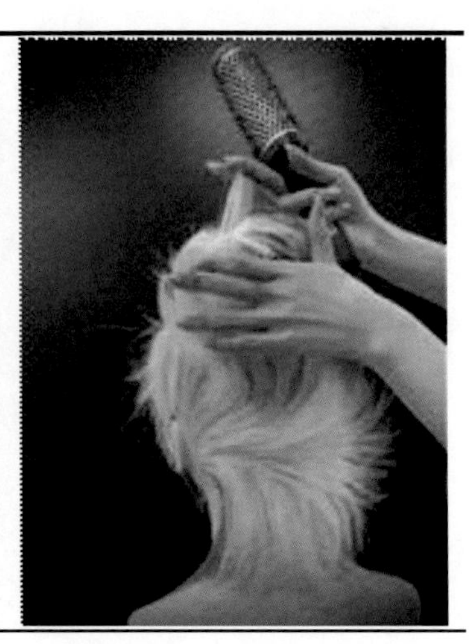

47, 48, 49 뒷날개 1, 2의 자연스러운 연결선을 전체적으로 드라이 한다.

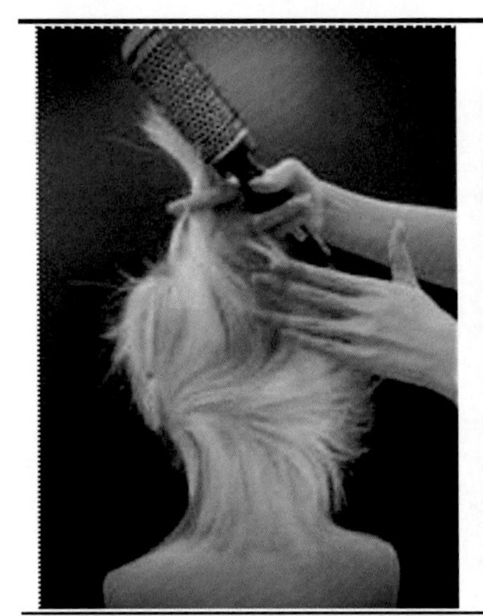

50 드라이 후 식힐 때 모양을 잡아 준다.

51 유존의 우측 섹션을 먼저 드라이 한다..

52 아웃라인을 틴닝으로 정리한다.

53 샤이닝 스프레이를 분사한다.	54 롤 브러쉬를 이용하여 전체적인 위로 향하는 C컬을 형성 한다.	55 롤 브러쉬를 이용하여 전체적인 아래로 향하는 C컬을 형성 한다.

56 드라이 완료 모습.	57 드라이 후 모양이 흐트러지지 않도록 확인한다..	58 부족한 부분은 재드라이한다.

59 센터에 가까운 모발들은 뿌리가 갈라지지 않고 자연스럽게 마네킨의 센터 쪽으로 끌어 C컬 드라이 한다.

60 남은 섹션에도 샤이닝 스프레이를 분사 한다.

61 반대쪽도 동일하게 진행한다.

62, 63 방사형으로 펼쳐지는 전체적인 흐름을 입체감 있게 드라이 한다.

64 마지막 유존의 중간 섹션을 1차 드라이와 동일한 방향으로 드라이한다.

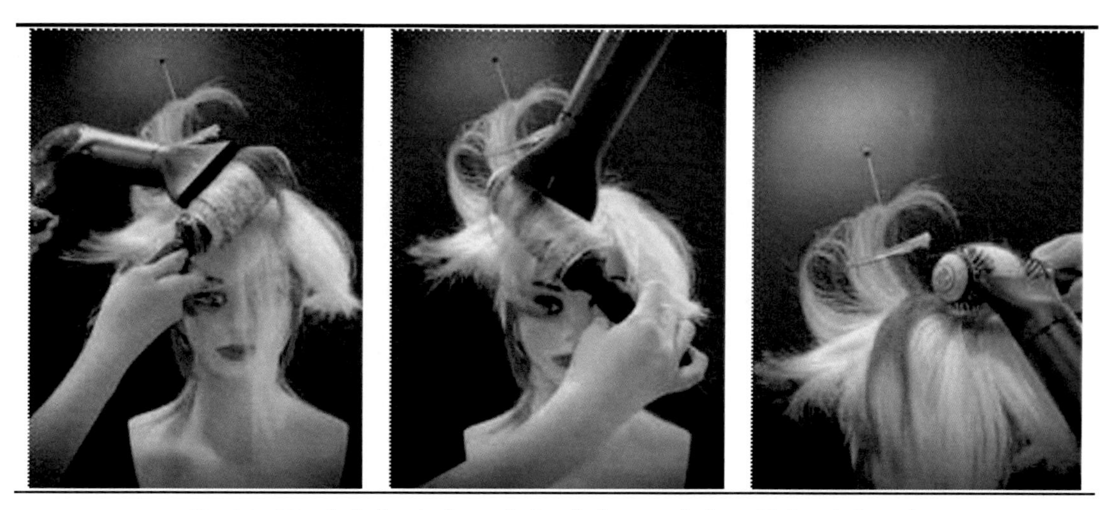

63. 64, 65 사진과 같이 드라이 하여 C,S컬의 흐름을 잡아준다.

MEMO

● 스타일링

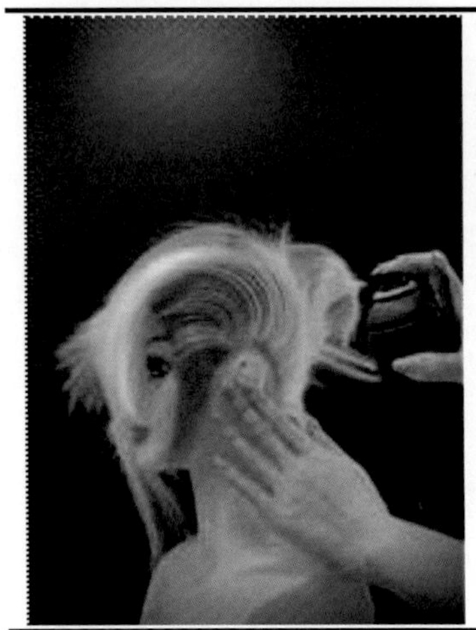	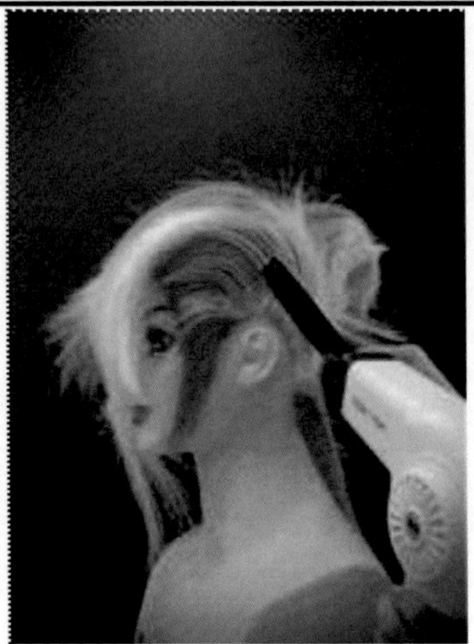	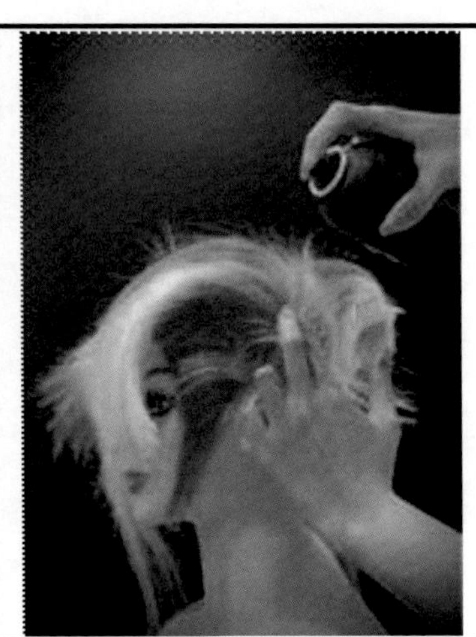
1 좌측 베이스 존의 뿌리에 고정 스프레이를 분사한다.	2 뿌리가 밀착 될 수 있게 말려준다.	3 뜨는 부분이 있다면 제품을 소량 분사하여 눌러준다.

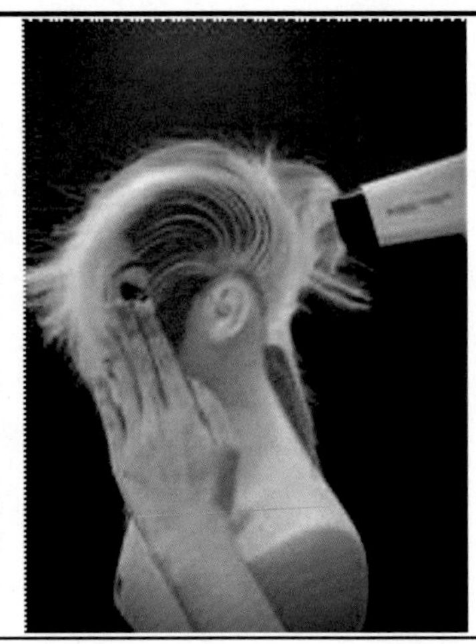

4, 5, 6 베이스 존의 단아한 골의 곡선이 나올 수 있도록 유의하여 방사형으로 고정한다.

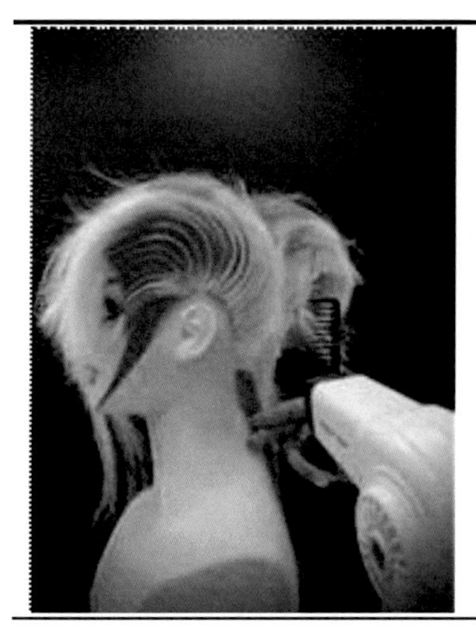

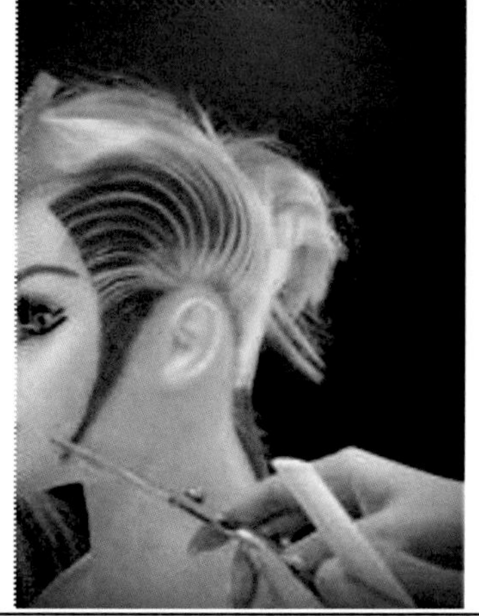

7 좌측 N.P코너 1cm 포인트 매쉬의 뿌리를 고정한다.

8, 9 베이스 존의 전체적인 아웃라인을 블런트와 틴닝을 이용하여 화려한 C커브의 커트선을 연출 한다.

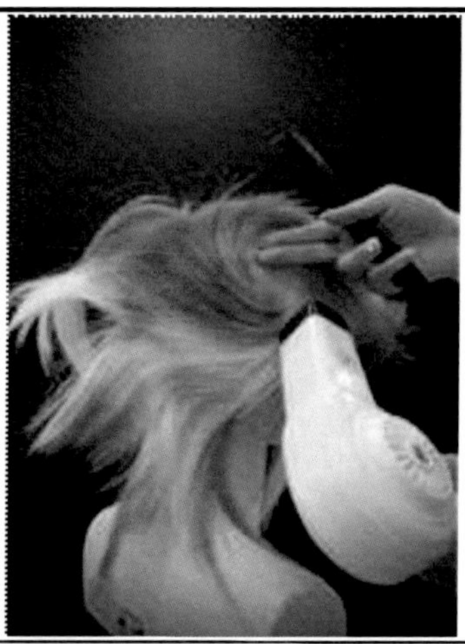

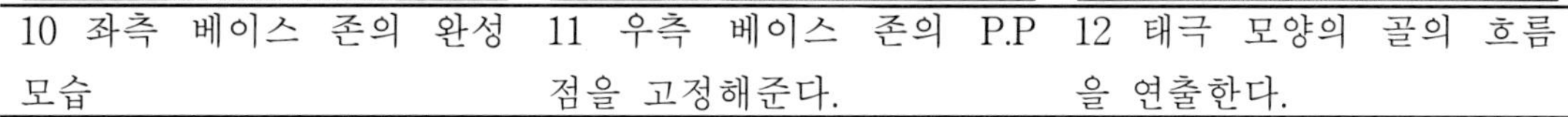

10 좌측 베이스 존의 완성 모습

11 우측 베이스 존의 P.P 점을 고정해준다.

12 태극 모양의 골의 흐름을 연출한다.

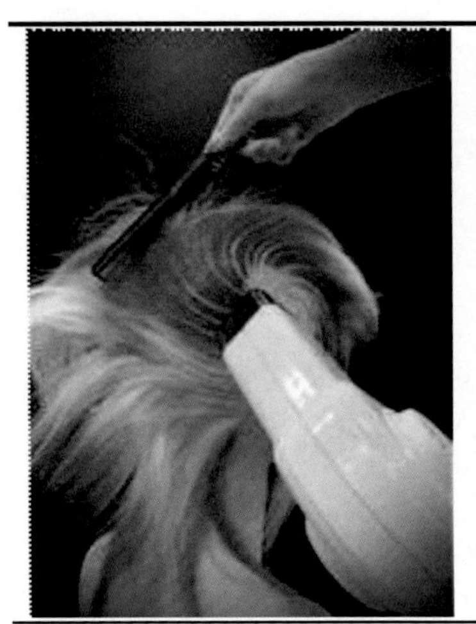

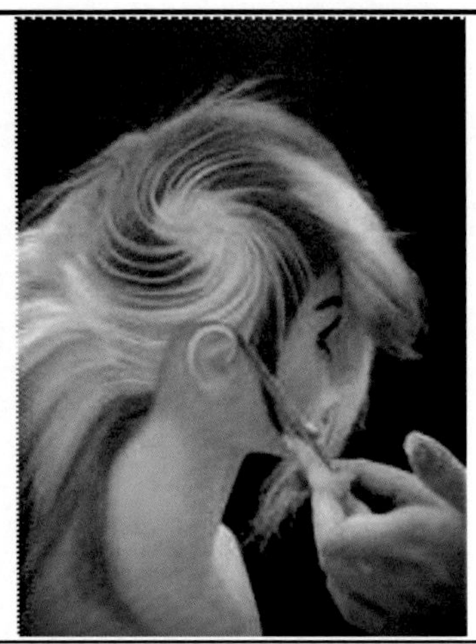

13 사진과 같은 부분의 빗질은 뒷날개 1과 연결되도록 한다.

14, 15 좌측 베이스 존 구레나룻과 아웃라인을 정리한다.

16 좌측 베이스 존 몰딩 완성 모습

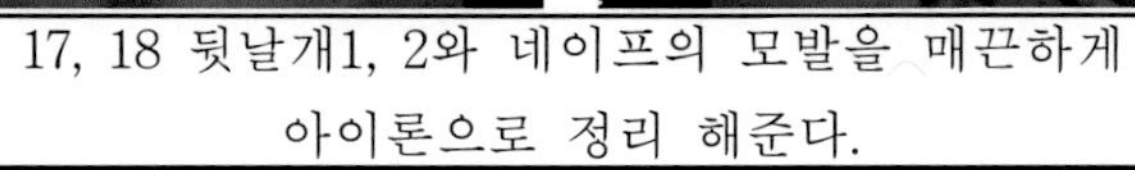

17, 18 뒷날개1, 2와 네이프의 모발을 매끈하게 아이론으로 정리 해준다.

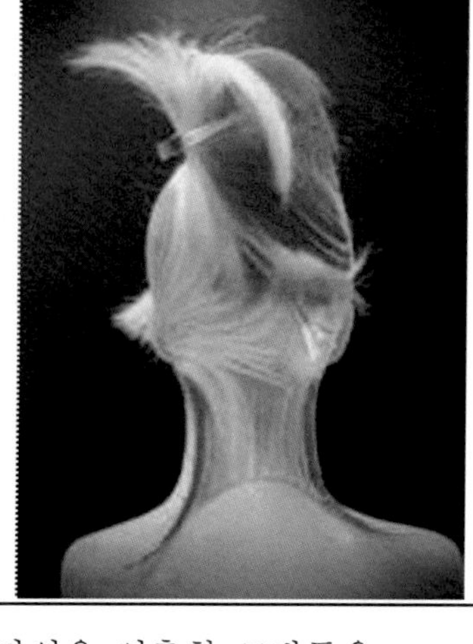

19 좌측 N.P코너 1cm 포인트 매쉬는 아웃라인으로 아이론 작업 한다.

20, 21 N.P의 컨케이브 라인을 연출할 모발들을 몰딩해주고 아웃라인을 정리한다.

22, 23, 24 좌측 뒷날개 1과 2의 C, S커브의 조화로운 흐름을 고정 스프레이와 열드라이기를 이용하여 C커브로 몰딩한다.

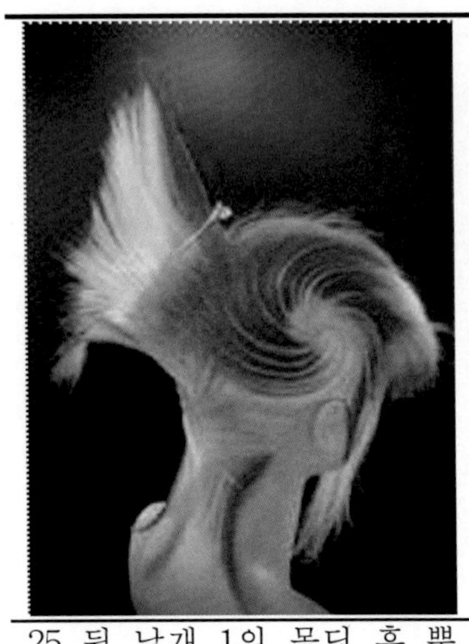

25 뒷 날개 1의 몰딩 후 뿌리 쪽에 작은 클립으로 고정해준다.

26, 27 베이스 존의 뜨는 머리들을 눌러 준다.

28, 29, 30 끝 쪽의 모발의 매쉬의 골을 표현한 후, 바늘과 핀셋으로 고정한다.

31, 32, 33 베이스 존의 흐름도 몰딩 한다.

34 유존의 우측 섹션도 몰딩한다.

35 C커브의 흐름을 방사형으로 몰딩한다.

36 아웃라인의 골 형성 및 커트선을 정리한다.

37, 38, 39 센터라인에 가까운 모발도 골을 내어 몰딩한다.

40 몰딩 후 바늘로 임시고 정한다.

41, 42 우측의 섹션도 방사형의 C커브와 큰 소라를 몰딩한다.

43, 44 끝의 모발도 골을 내주고 끝 정리를 한다.

45 가운데 섹션의 뿌리를 들어 잡아준다.

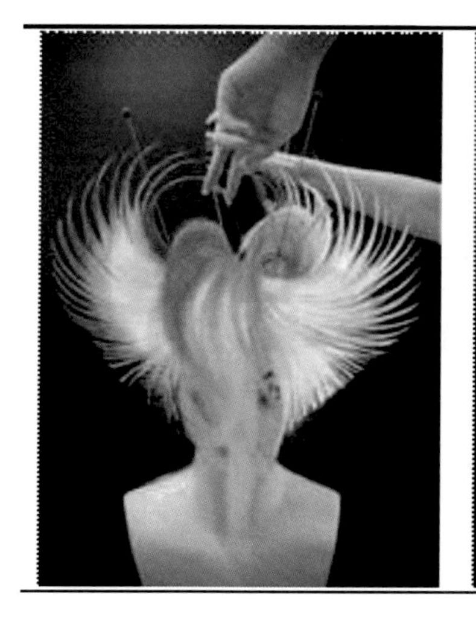

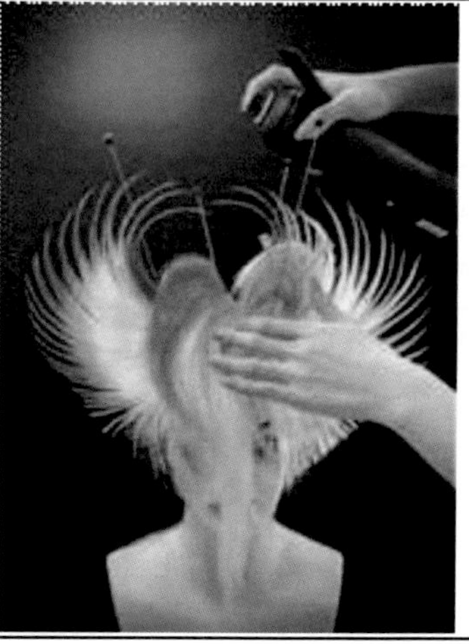

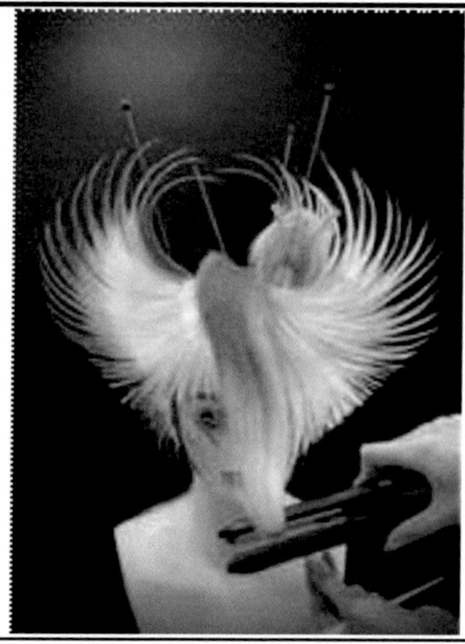

46, 47 몰딩 후 C커브의 흐름 잔머리를 정리해준다.

48 센터라인의 포인트 매쉬의 S커브의 끝을 아이론으로 뒤집어준다.

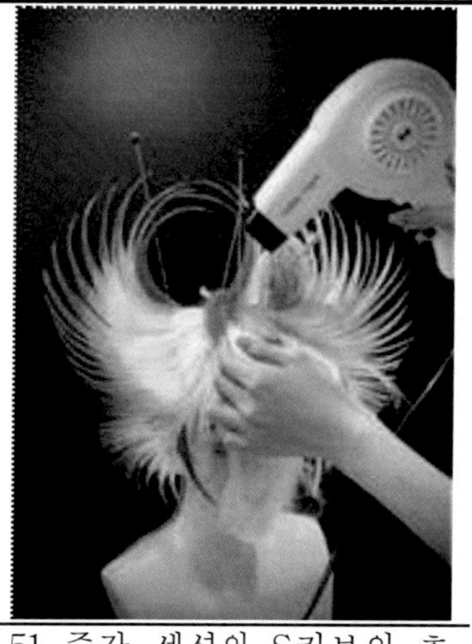

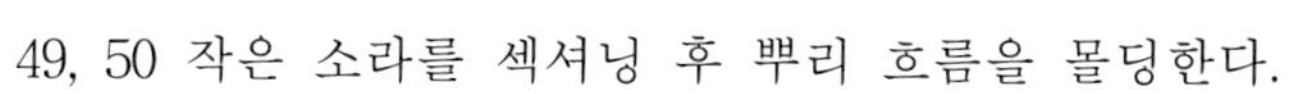
49, 50 작은 소라를 섹셔닝 후 뿌리 흐름을 몰딩한다.

51 중간 섹션의 S커브의 흐름선을 세워서 몰딩한다.

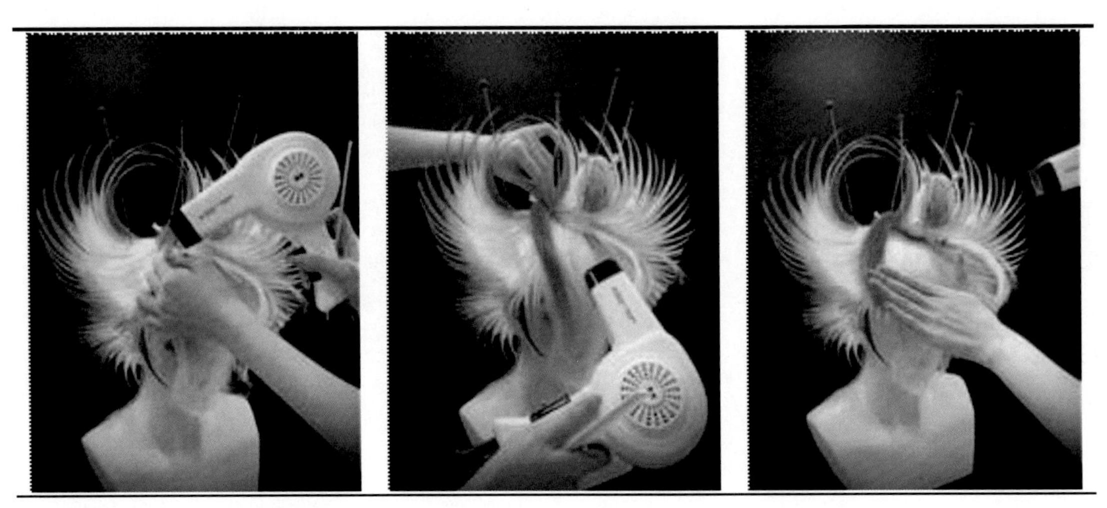

52, 53, 54 S커브의 흐름선에 맞게 중간 섹션의 베이스를 밀착시켜 몰딩한다.

55, 56, 57 바늘을 이용하여 흐름선을 입체감있게 형성 한다.

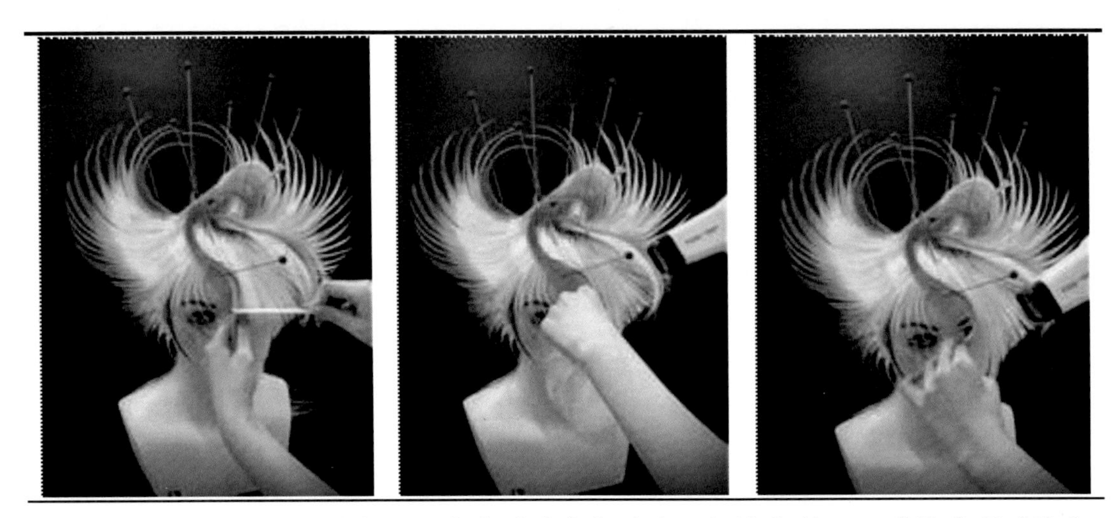

58, 59, 60 끝 부분으로 갈수록 모발이 마네킨의 페이스에 붙지 않고 조화롭게 몰딩한다.

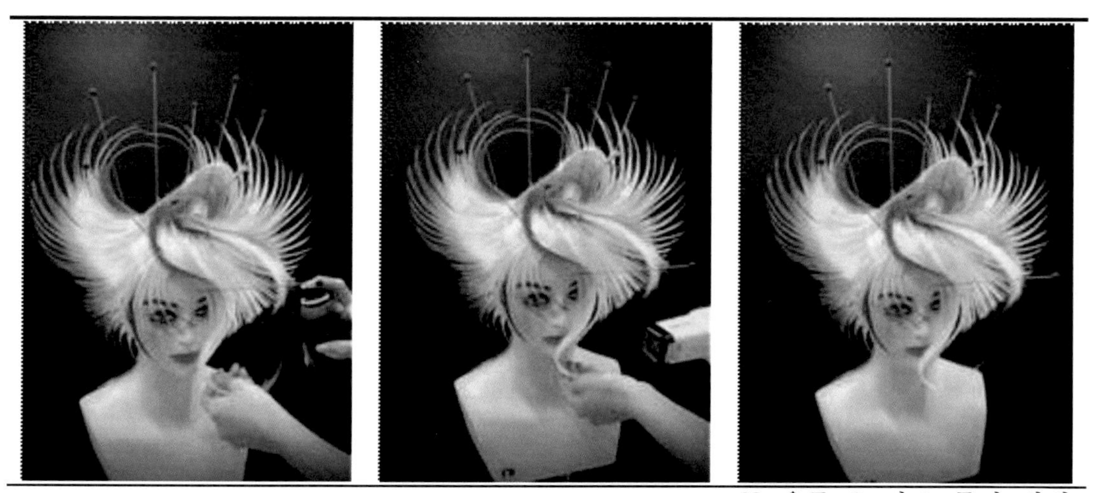

61, 62 끝 꼬랑지의 아웃라인을 얄쌍하게 모아준다. 63 유존 S 커브 몰딩 완성 모습

64, 65, 66 작은 소라를 시계 반대 방향으로 몰딩 한다.

67, 68, 69 작은 소라를 시계 반대 방향으로 몰딩 한다.

70, 71, 72 아웃라인에 골을 내주고 조화롭게 몰딩한다.

73,74, 75 아웃라인을 정리한다.

유존 몰딩 완성 모습

Ⅳ. 드라이 및 스타일링

- 4.크리에이티브 완성 도면

용어 정리

• 가이드 라인 (guide line) : 스타일을 만드는데 기준이 되는 머리의 길이

• 강조(accent) : 디자인에 있어 선이나 실루엣, 재질, 색채 중에서 어느 한 부분의 표면효과를 강조하는 것

• 개성(individuality) : 각 사물 또는 각 개체가 지닌 고유한 특징적 성격

* 골덴 포인트(golden point) : 턱에서 양 귀를 연결한 선의 연장선이 두정부에서 만나는 지점

• 그라데이션 (aradation) : 점차적 이행, 조금씩의 변화, 색채 용어에서는 선염법(농담을 점점 짙게 또는 없게 하 는 것)농담. 백과 흑의 명도 단계의 변화 등

•내츄럴 (natural) : 자연의, 자연스러운

• 네이프(nape) : 목덜미를 뜻하며 후두부의 목덜미를 말한다.

• 네이프라인(nape line) : 헴 라인이라고도 하며 목덜미 부분의 모발과 피부의 경계선으로 후두부에서 머리가 나 기 시작한 곳의 선

* 대칭(symmetry) : 균형을 잡는 것

* 대조(contrast) : 다른 것과 맞추어보는 것, 서로 대립하는 두개의 요소가 확실한 것

* 디자인(design) : 예술적인 단어로 계획하다 라는 뜻

* 라운드 사이드 파트(round side par) : 사이트 파트가 곡선을 그린 파트

* 리버스(reverse) : 반대, 역전, 포워드에 반대되는 말.

* 버티컬 (vertical) : 세로

* 방사 분배(radial Distribution) : 머리를 한 시작점에서 분배하는 것

*백(back) : 배경, 미용용어에서는 두발의 뒷부분

*백콤(back comb) : 볼륨을 더해주고 방향을 유도할 때 머리다발을 들어

올려 빗으로 밀어 넣는 동작

* 밴딩(banding) : 고무줄이나 끈으로 묶어 고정하는 것

•밸랜스(balance) : 균형, 디자인 요소들의 평형관계

* 베이스(base) : 기본, 기준, 토대, 심지, 미용에서는 컬을 만들기 위해 나눈 머리다발의 근원 부위

*볼륨(volume) : 부피의 감각

•블로킹(00cking) : 미용 기술을 시술할 때, 머리카락을 크게 구분하여 나누는 것. 시술하기 용이하기 위하여 스 타일에 맞추어서 구분 짓는 구획

* 사이드(side) : 양측두부

* 샤기(shaggy) : 보풀이 일어난 긴 표면털(직물에 난 털)을 가진 모직물. 텁수룩한 털이란 뜻

* 선(line) : 연장된 점(점들의 집합)

• 스타일(style) : 양식, 격식, 형

• 스타일링(sving) : 양식, 실용적, 미적 효과를 높이기 위해 외견 스타일에 특색을 주는 것, 또는 프로세스를 말 한다.

• 스타일리스트(styist) : 패션쇼, 잡지, 텔레비전, 영화 등의 의상과 소품 또는 실내장식품을 선정, 코디네이터 하 는 사람

• 양감(welight) : 볼륨, 물체의 크기, 무게 두께 등의 느낌

* 조화(harmony) : 한 가지 혹은 몇 가지 점에서 비슷한 단위들의 어울리는 혼합으로 어긋남이 없이 서로 잘 어울림

* 질감(exure) : 물질 그 자체의 독특한 재질의 느낌. 매끈매끈, 꺼칠꺼칠함과 같은 질감은 촉감적, 시각적이다.

• 창작 : 예술, 감동을 회화, 음악 등의 작품으로서 독창적으로 표현하는 것. 그 심리 과정에는 창작적 기분, 착상, 연상, 완성의 단계

* 축(axs) : 어떤 물체의 주위를 회전하는 가상의 직선

* 컨벡스(convex) : 구의 표면과 같이 바깥쪽으로 휘어진 모양

*컨슈머(consumer) : 개념은 소비자의 뜻, 헤어 크리에이티브 스타일을 말한다.

* 컨스트럭션(construction) : 구성, 구조

• 컨케이블(concave) : 움푹 들어갔다는 의미, 기본적인 컷 라인의 하나로, 인레이어와 아웃레이어로 구성되는 들어간 라인의 모양, 머리숱을 적게 보이게 함

* 컨트라스트(contrast) : 대조, 대비

*컨트롤(control) : 조절, 통제, 조정

*컨셉(concept) :작품의 기본 계획과 의도하는 스타일의 주제

•컬(cur) : 머리를 마는 것, 또는 말린 머리 그 자체, 컬의 목적은 웨이브를 만드는 것, 앞 머리에 변화를 주기 위 하여 볼륨감을 만들기 위해서 등이다.

* 컬러 (curler) : 컬을 만들어 주는 말이 기구

*텐션(tension) : 장력, 긴장력

*템플(temple) : 성당, 신전, 관자놀이, 측두부

•톱(top) : 정상, 선단, 최고위, 수상

*톱 헤어(top har) : 두정부의 머리

*통일(unity): 많은 것을 하나로 정리하는 것, 모든 요소, 소재 또는 조건을 선택하고 정리하여 하나의 완성체로 만드는 것

*트라이앵귤러 베이스(triangulat base) : 삼각베이스

*트랜드(trend) : 방향, 경향

•트리밍(trimming) : 손질하는 것, 불필요한 부분을 버리고, 전체를 정리하는 등의 의미가 있다. 마무리하기 위해 서 머리끝을 가볍게 커트하는 기법

• 프린지(finge) : 이마를 부분적으로 또는 완전히 덮은 스타일

* 프런트(front) : 전두부

* 피봇 포인트(pivot point) : 컬의 기점, 회전하는 포인트, 피봇은 선회축, 급소, 중심점, 회전하다의 의미

* 핀 컬(pin curl): 세팅로션과 무스 등을 발라 빗과 핀을 이용하여 평면적인 컬을 연출할 때 사용

* 헤어 세팅(hair setting) : 머리카락을 특정의 위치, 상태에 놓는다는 것

* 헤어 피스(nair piece) : 머리의 일부분에 붙이는 가발, 붙임 머리

* 형태(form) : 디자인의 외형이나 윤곽선 ; 디자인의 3차원 모양

* 호리존틀 웨이브(horizontal wave) : 호리존탈은 지평선, 수평선의 의미, 웨이브의 릿지가 수평으로 되어있는 것